WORD SEARCH PUZZLE

D1532524

I Belong to:

_____

_____

_____

SUDOKUGAM KIT

© Copyright 2020 - All rights reserved.

You may not reproduce, duplicate or send the contents of this book without direct written permission from the author. You cannot hereby despite any circumstance blame the publisher or hold him or her to legal responsibility for any reparation, compensations, or monetary forfeiture owing to the information included herein, either in a direct or an indirect way.

Legal Notice: This book has copyright protection. You can use the book for personal purpose. You should not sell, use, alter, distribute, quote, take excerpts or paraphrase in part or whole the material contained in this book without obtaining the permission of the author first.

Disclaimer Notice: You must take note that the information in this document is for casual reading and entertainment purposes only.

We have made every attempt to provide accurate, up to date and reliable information. We do not express or imply guarantees of any kind. The persons who read admit that the writer is not occupied in giving legal, financial, medical or other advice. We put this book content by sourcing various places.

Table of Contents

Introduction

These puzzles are in the classic word search format. Words are hidden in the grids in straight, unbroken lines: forward, backward, up, down or diagonal. Words can overlap and cross each other. When you find a word, circle it in the grid and mark it off the list.

Part 1

Puzzle #1

OFFICE

C	H	A	P	R	A	S	I	Z	T	F	I	L	E	N
P	O	E	I	R	E	G	R	E	I	C	N	O	C	A
N	I	M	C	N	E	L	B	A	T	C	E	L	E	V
M	O	H	M	Y	C	N	S	T	E	M	P	J	H	A
T	A	I	S	I	C	U	O	C	F	H	A	C	E	R
H	E	I	T	R	S	L	M	I	E	H	R	Q	B	C
R	N	L	L	A	E	S	O	B	T	P	N	A	Y	H
O	T	D	W	J	E	N	A	S	E	A	T	S	S	Y
N	P	O	F	M	H	R	E	R	T	N	L	E	W	N
E	F	G	C	X	D	J	C	V	I	Y	T	B	R	G
I	N	S	I	G	N	I	A	T	N	A	L	R	O	B
P	I	H	S	E	T	A	G	E	L	O	T	E	H	V
R	E	C	T	O	R	A	T	E	M	R	C	N	R	R
T	A	I	R	A	T	E	R	C	E	S	L	Y	C	D
S	E	R	A	S	K	I	E	R	A	T	E	X	G	J

CHAPRASI
COMMISSARIAT
CONCIERGERIE
CONVENERSHIP
CREATION
CYCLOSTYLE
EJECT
ELECTABLE

FILE
INCUMBENT
INSIGNIA
LEGATESHIP
MAIL
NAVARCHY
OBLATION
RECTORATE

SCEPTER
SECRETARIAT
SERASKIERATE
TEMP
THRONE

GARDEN

```
G  E  T  H  S  E  M  A  N  E  B  C  A  N  E
C  H  N  P  K  U  F  L  A  T  V  L  I  O  S
O  G  C  I  E  F  G  D  A  I  G  G  O  L  L
N  W  E  T  P  C  E  A  R  T  H  Y  S  O  E
S  T  E  J  A  L  N  B  R  A  X  S  L  O  M
E  X  P  F  Z  P  A  O  K  A  Y  S  U  J  D
R  A  E  A  R  I  P  S  C  B  P  L  G  D  D
V  A  R  E  D  E  H  S  T  A  F  S  I  E  P
A  D  G  G  B  T  V  T  R  N  M  T  A  A  I
T  T  O  D  E  B  R  E  W  O  L  F  Y  Z  K
O  U  L  I  O  L  A  T  F  V  A  G  Y  I  R
R  G  A  R  D  E  N  I  A  I  K  U  N  N  B
Y  E  P  A  C  S  D  N  A  L  R  C  D  N  K
H  C  A  N  I  P  S  U  N  D  I  A  L  I  B
R  E  E  T  N  U  L  O  V  X  R  B  E  A  N
```

ALPINE	FLAT	SLUG
ASPARAGUS	FLOWERBED	SOIL
BLOOM	GARDENIA	SPINACH
CANE	GETHSEMANE	SPIRAEA
CONCEPT	KAILYARD	SUNDIAL
CONSERVATORY	LANDSCAPE	VOLUNTEER
EARTHY	LOGGIA	ZINNIA
FATSHEDERA	PATCH	
FEVERFEW	PERGOLA	

GRADUATE

```
S  G  A  C  G  R  A  D  U  A  T  I  N  G  C
C  U  M  R  E  T  S  A  M  H  O  N  O  R  A
O  A  N  A  T  S  I  M  A  H  E  K  Y  W  L
L  D  M  M  T  E  S  R  U  O  C  E  F  P  I
L  G  O  O  U  E  E  R  C  E  D  R  E  R  B
E  Y  R  C  L  L  T  A  J  A  T  S  L  O  R
G  E  S  A  T  P  A  Q  D  O  H  T  L  S  A
E  A  L  M  D  O  I  A  G  C  R  W  O  P  T
L  R  N  T  K  U  R  D  E  A  E  H  W  E  I
E  M  U  D  G  X  A  A  C  A  S  I  L  C  O
A  L  Y  E  K  A  Q  N  T  Q  H  L  Q  T  N
L  I  N  G  U  I  S  T  D  E  O  E  V  H  K
G  Y  M  N  A  S  I  A  S  T  L  N  A  B  O
R  O  T  C  U  R  T  S  N  I  D  R  N  D  X
P  R  O  F  E  S  S  O  R  G  Y  R  A  U  E
```

ALUMNUS	ERSTWHILE	LINGUIST
CAGS	FELLOW	MASTER
CALIBRATION	GMAT	PROFESSOR
COLLEGE	GRADUAND	PROSPECT
COURSE	GRADUATING	THRESHOLD
DECREE	GYMNASIAST	WYKEHAMIST
DIPLOMA	HONOR	YEAR
DOCTORATE	INSTRUCTOR	

CLASSROOM

```
E  P  B  D  J  R  B  A  I  N  T  E  R  N  M
C  V  I  Y  E  G  G  R  P  L  Y  L  C  O  I
S  O  O  H  T  Z  L  R  A  A  V  H  U  S  C
K  S  U  R  S  I  I  O  L  V  P  Q  X  C  R
H  C  E  R  P  R  X  G  W  A  A  E  V  I  O
C  O  A  N  S  P  O  A  R  E  R  D  R  T  C
Y  M  M  B  E  E  A  T  L  E  R  X  O  A  O
S  L  A  E  H  V  W  E  A  A  N  I  L  N  S
Q  N  E  I  W  S  I  A  R  T  I  E  N  T  M
Q  U  Q  R  N  O  A  S  R  A  C  L  R  G  I
A  A  A  T  U  T  R  L  U  E  U  I  A  F  C
S  H  G  D  R  P  A  K  F  F  G  C  D  E  P
D  E  T  C  E  F  N  I  M  U  F  J  O  Q  R
G  N  I  N  R  A  E  L  N  W  Q  E  S  U  B
N  E  T  R  A  G  R  E  D  N  I  K  Z  D  S
```

APPROVE	GLOWERING	MICROCOSMIC
ARROGATE	HOMEWORK	OSCITANT
BRAVADO	INFECTED	PAPER
COURSEWARE	INTERN	PURELY
DICTATORSHIP	KINDERGARTEN	RAUCOUS
EFFUSIVENESS	LAXITY	REALIA
ENERGIZE	LEARNING	
FLASHBACK	MAINTAIN	

HISTORY

```
E  R  E  H  P  S  O  L  G  N  A  X  N  V  A
A  R  B  U  T  H  N  O  T  Y  K  E  S  N  N
C  O  S  S  A  C  K  D  R  L  K  L  D  C  T
P  R  E  S  C  O  T  T  R  O  U  C  O  I  I
D  Y  L  R  E  M  R  O  F  E  B  G  E  F  S
T  E  F  R  E  E  M  A  N  B  S  A  O  L  E
E  N  N  I  P  M  I  A  G  K  Y  S  L  M  P
L  G  H  D  R  O  B  O  V  A  T  E  O  I  T
E  M  F  S  R  O  S  U  F  F  E  R  A  O  I
O  Y  G  O  L  O  T  E  P  R  E  H  U  R  C
L  S  W  F  B  Z  L  S  L  A  C  I  P  Y  T
O  B  G  B  L  P  D  O  I  A  H  A  V  C  N
G  Z  I  L  P  O  Q  E  G  H  A  T  A  F  O
Y  S  Z  N  I  C  H  T  H  Y  O  L  O  G  Y
S  I  S  E  N  E  G  O  L  Y  H  P  R  X  C
```

ANGLOSPHERE	FREEMAN	OBOVATE
ANTISEPTIC	HERPETOLOGY	PHYLOGENESIS
ARBUTHNOT	HISTORIFY	PRESCOTT
COSSACK	ICHTHYOLOGY	SIDE
DENDROLOGY	IMPI	SUFFER
DRESS	LABOR	TELEOLOGY
FOLK	LECKY	TYPICAL
FORMERLY	MOGUL	YEAR

TRUCK

```
G D R E T S L O B Q W C G C R
R A A B O O K M O B I L E A I
C E G O C A R T A G E U H R D
Y A P E L O G Y H O I S T G E
R L R M W K M R V I L T C O I
O O L R A U C P A A Y E W F R
G T A O Y C L A A D E R U A A
L C D D D A K J B C E H W L I
D R I V E R L M A R T I X L O
O W H G N O A L D A E R P S L
D I S T R I B U T E D P Q W R
K C A B L L O R L R E G P W H
T H R I V I N G Z W Q R O I S
T R A N S P O R T E R K L Z T
G N I K C U R T G E D N H L L
```

BACKLOAD	DISTRIBUTED	ROLLBACK
BOLSTER	DOLLY	SPREAD
BOOKMOBILE	DRIVER	THRIVING
CAMPER	GAGE	TIPPER
CARGO	GRADE	TRAM
CARRYALL	HEAVY	TRANSPORTER
CARTAGE	HOIST	TRUCKING
CLUSTER	RIDE	
COMPACT	ROADEO	

Puzzle #7

CHRISTMAS

```
C A D N I B O X I N G F G P T
R R L E F A I N T L Y R L A A
I B Z O T E Y B P S H A O R M
M O L T R A R L N A F N G O E
B R O M U A R B L A C T G L G
O E H H T P C C H O L I D A Y
B A G N I D O O G Q H C H J T
Q L A I R A N I M U L W U H W
R E S I M E M I M O T N A P I
I Q V H G A T L A A U Q B Z N
I C X A T U R K E Y A W M W E
L Z E C T W E L F T H T I D E
Q H A I X C L I A S S A W Q Q
Y R T N I W O V F K O H W S G
H A P S A C U W N S I F Q A I
```

ARBOREAL
BIND
BOXING
CAROL
CRATE
CRIMBO
FAINTLY
FRANTIC
GLOGG

GOODING
HOLIDAY
HOLLY
LUMINARIA
MISER
OCTAVE
PANTOMIME
PAROL
PUTZ

QUAALTAGH
TAME
TURKEY
TWELFTHTIDE
TWINE
WASSAIL
WINTRY

11

FLORAL DESIGN

```
D A D V E N T I T I O U S A C
C I S U O R E M O S I N A U R
D A P C D E E C K A Y A K T E
Y L M A O E T S N C D L Z O S
T P O E D H S T I A E V S M T
F M G M O U E I L C H P Z O E
T E R F F O C R G E N C S T L
Y R T E M M Y S E N N I O I A
F U T U R A M I C N E G T V B
Y R E D I O R B M E T D F E O
C I T S I R U T U F S K L R R
P M A T S D N A H C K Y L Y A
S I D E S W E P T J H Y F M T
S T A M I N O D Y L S K Y S E
L A C I R T E M M Y S E G T B
```

ADVENTITIOUS	DESIGNEDLY	INCISE
ANISOMEROUS	DIPAD	KAYAK
AUTOMOTIVE	ELABORATE	MOLD
CAMEO	EMBROIDERY	SIDESWEPT
CHANCE	ETTLE	SPEC
COFFRET	FUTURAMIC	STAMINODY
COHERENT	FUTURISTIC	SYMMETRICAL
CREST	HANDSTAMP	SYMMETRY

MAIL

```
A  B  S  E  N  T  E  E  C  O  I  F  D  H  M
D  N  E  P  E  D  E  L  F  R  E  E  I  A  A
E  X  P  R  E  S  S  S  I  F  T  M  S  B  C
D  N  M  T  D  T  O  L  S  F  A  A  C  E  U
O  R  I  A  O  I  A  B  A  U  M  T  O  R  L
C  T  O  H  I  H  A  B  P  W  G  T  N  G  A
C  D  Z  L  C  L  S  P  E  N  N  E  T  E  T
U  K  V  S  D  A  C  L  E  R  K  R  I  O  U
P  S  H  I  P  N  M  L  I  R  M  S  N  N  R
A  O  A  A  P  Z  A  L  A  A  P  P  U  J  E
N  K  T  P  N  X  W  L  L  D  M  A  E  M  A
T  P  H  I  S  H  I  N  G  U  D  M  S  T  Y
Y  R  A  T  E  R  C  E  S  O  A  M  B  J  Y
X  E  T  E  L  E  T  C  J  B  L  Y  L  D  A
D  E  T  I  C  I  L  O  S  N  U  P  J  L  U
```

ABSENTEE	LANDLORD	REBATE
COIF	MACHINE	SECRETARY
DEPEND	MACULATURE	SHIP
DISCONTINUE	MAILCLAD	SIFT
EXPRESS	MAILSHOT	SPAMMY
FILE	MATTER	TELETEX
FREE	OCCUPANT	UNSOLICITED
GUSSET	PHISHING	
HABERGEON	PREPAID	

GRAPHIC DESIGN

```
A  T  Y  C  L  A  S  S  C  I  S  E  R  H  I
E  I  O  S  M  G  T  R  H  P  C  M  E  Y  D
E  L  R  P  U  Z  H  D  E  S  T  I  N  E  E
P  S  E  F  H  B  E  N  M  A  C  X  D  T  O
Y  O  U  C  R  G  P  R  I  L  L  O  E  O  G
C  I  T  O  T  A  U  V  S  T  D  G  R  G  R
V  N  N  P  H  R  M  O  E  I  C  R  I  R  A
V  G  Y  T  A  P  O  E  B  R  C  A  N  A  P
N  M  R  B  R  L  W  L  R  E  T  P  G  P  H
E  I  R  E  S  I  O  N  I  H  C  H  L  H  Y
M  O  D  E  L  U  C  I  R  E  T  N  I  R  P
R  E  T  U  O  R  D  A  O  N  R  Y  L  I  T
L  I  O  F  X  E  S  X  T  D  Y  X  C  X  A
Y  H  P  A  R  G  O  D  U  E  S  P  D  F  M
P  H  R  E  N  O  G  R  A  M  S  C  Y  F  K
```

AIRFRAMER	HOUSE	PHRENOGRAM
BOUGHPOT	HYETOGRAPH	PRINTER
BUSY	IDEOGRAPH	PSEUDOGRAPHY
CHEMISE	IDEOGRAPHY	RENDERING
CHINOISERIE	INTRICATE	ROUTER
CLASS	LAPTOP	SALTIRE
DESTINE	MIXOGRAPH	SEXFOIL
ELECTROLIER	MODEL	

SEA

```
D A C T I N I F O R M L Q F X
I S N L K L A N I H C E I E Y
T H U A A N E O L F R U S O D
C E E O D N I W O L F W T N B
H L H R M R O R H E A V Y A W
R S E S L O O R D T D I S U A
W A T R E I R M O S F O B M V
L E G A E R N D E C E I R A E
C K O G T K F G A C T X R C H
O D D N E I C N B N A S H H D
S P E A K D C A J M A F G I T
A O N Z I G E E M J X X R A L
L A R O T T I L B U S P K U E
Y H T R O W A E S N U G I I S
Z A V D N I H Z X Z V E Z G P
```

ACTINIFORM	FLOW	STATICE
ANADROM	FRESHET	SUBLITTORAL
ANADROMOUS	HEAVY	SURF
BOIL	HERLING	SURFACE
CORONAL	MACKEREL	THRIFT
DITCH	NAUMACHIA	UNSEAWORTHY
DRINK	RAGGED	WAVE
ECHINAL	RODE	
FLOE	SPEAK	

STAR

```
A  S  T  E  R  O  X  Y  L  O  N  D  R  O  F
O  C  A  R  D  E  R  A  Z  I  M  U  K  K  A
T  T  E  S  O  O  X  R  E  P  I  L  A  C  T
F  A  E  L  I  C  I  O  G  N  I  T  E  E  M
U  P  E  E  U  W  C  R  C  E  W  T  W  M  O
L  U  R  H  W  B  E  U  E  H  I  U  X  K  S
G  L  S  Z  C  S  O  L  L  P  O  X  O  Z  P
E  L  B  I  A  S  R  L  A  T  Z  R  Y  Q  H
N  Y  R  R  A  T  S  E  G  D  A  C  D  P  E
T  E  E  T  I  L  L  E  T  A  S  T  Y  A  R
S  T  E  L  L  A  T  E  O  T  K  K  I  B  E
B  R  E  P  U  S  P  P  F  J  I  G  A  O  N
O  V  E  R  W  R  O  U  G  H  T  B  Y  F  N
O  R  N  I  T  H  O  G  A  L  U  M  X  U  J
V  A  R  I  A  B  I  L  I  T  Y  E  E  B  Q
```

AKKUM	GLOBULE	PYXIE
ASTEROXYLON	LEWIS	SATELLITE
ATMOSPHERE	MEETING	SCHEAT
BITTERSWEET	MIZAR	STARRY
CALIPER	OCCULTATION	STELLATE
DRACO	ORNITHOGALUM	SUPERB
EXOCHORDA	OVERWROUGHT	VARIABILITY
FORD	PERIOD	
FULGENT	PULL	

STOP DEPRESSION

```
B  B  C  D  E  R  A  I  L  M  A  O  L  Y  S
U  R  I  A  A  R  A  E  P  P  A  S  I  D  B
R  A  T  N  V  E  S  W  X  L  T  S  E  R  K
Y  K  S  N  T  I  D  K  A  T  A  L  L  E  S
E  E  U  B  E  R  T  X  I  S  F  I  Q  B  E
E  N  M  E  Z  V  O  Y  D  P  H  S  N  R  A
M  U  P  P  N  H  E  C  R  E  P  P  U  C  S
S  O  J  O  U  R  N  E  S  W  A  G  B  Q
H  C  N  U  A  T  S  S  P  S  E  R  X  E  V
D  I  Z  A  I  N  O  R  P  I  S  E  A  O  V
P  R  O  H  I  B  I  T  I  O  N  I  C  Q  L
S  S  E  L  E  S  R  O  M  E  R  D  O  Z  I
S  T  R  A  N  G  L  E  F  R  K  F  Z  N  T
E  T  A  L  U  G  N  A  R  T  S  G  I  W  L
J  X  W  O  K  K  G  B  F  R  L  I  Q  C  M
```

BRAKE	PLAIN	SPARE
BURY	PREVENT	STAUNCH
CAVITY	PROHIBITION	STRANGLE
DEAD	REMORSELESS	STRANGULATE
DERAIL	REST	SUMP
DISAPPEAR	SCUPPER	SWAG
INTROCESSION	SELLA	WASH
IPRONIAZID	SKIP	
LOAM	SOJOURN	

DOG

```
A  K  B  G  R  W  I  C  U  R  B  L  E  E  H
N  N  C  A  N  E  O  G  Y  M  R  O  W  E  D
N  W  S  A  I  I  D  H  R  N  D  O  G  G  Y
F  W  A  W  B  T  K  N  C  O  O  E  E  Z  F
Z  A  O  F  E  E  J  R  U  M  C  L  K  Q  G
F  E  U  T  E  R  E  R  A  O  O  L  O  I  V
L  E  A  M  E  R  A  G  M  B  B  P  W  G  H
M  A  L  A  M  U  T  E  U  R  O  J  P  O  Y
H  C  H  D  W  O  L  F  S  Y  A  Y  A  E  Y
R  R  A  Y  D  L  G  Q  H  Z  H  T  E  I  T
N  A  Z  F  F  A  O  Q  E  X  J  U  T  S  M
I  X  E  Y  N  S  P  E  R  W  Z  C  W  E  H
Y  C  K  R  P  W  B  U  L  Z  S  I  N  C  R
E  C  I  A  R  X  L  G  H  S  J  G  J  S  B
L  M  J  E  D  J  G  X  I  V  U  U  U  B  Z
```

ANSWER	DEWORM	MUSHER
BACK	DOGGY	PADDLE
BAIT	FAWN	RATTER
BARKING	FEUTERER	TOWN
BOUNDER	HEEL	WOLF
CHOW	HIKE	YARR
CORGI	LEAMER	YOWL
CURB	MALAMUTE	
CYNOLOGY	MOPPET	

HAPPY

```
C  B  L  E  A  K  W  A  Y  L  B  B  U  B  E
C  I  L  U  F  I  T  N  U  O  B  V  W  X  X
C  A  T  E  G  R  E  I  C  N  O  C  H  V  C
Z  O  N  S  T  N  E  M  E  L  P  M  O  C  I
Y  E  M  C  I  G  S  A  Q  U  D  D  O  L  T
R  T  X  E  E  U  L  T  H  T  S  X  P  A  E
A  M  E  H  D  L  R  E  Z  H  S  S  L  U  M
P  G  Y  I  I  Y  L  T  A  Q  S  J  I  R  E
T  N  Z  X  A  L  G  E  L  M  A  D  W  E  N
H  I  F  W  K  G  A  J  D  A  F  W  S  L  T
D  O  W  N  H  E  A  R  T  E  D  O  T  B  S
E  L  B  A  D  A  R  G  A  E  V  I  R  H  T
D  E  V  O  R  P  M  I  F  T  L  B  N  O  T
M  R  O  F  R  E  P  F  N  Z  E  F  M  C  J
T  N  E  M  L  L  I  F  L  U  F  D  L  K  W
```

ALTRUISTIC	CONCIERGE	IMPROVED
ANIMATE	DOWNHEARTED	ISSUE
BLEAK	EXCITEMENT	LAUREL
BOUNTIFUL	EXHILARATED	PERFORM
BUBBLY	FULFILLMENT	RAPT
CANCELLED	GAIETY	THRIVE
COMEDY	GLEAM	WHOOP
COMPLEMENT	GRADABLE	

DRINKING

```
S B U Z Z W J C X C D R U N K
D U Y R D T N A R U T A N E D
O Y O R A H W N Z P G U S T O
G E T I I E T I R H Y T O N V
G E R I M A T K O O S A L S E
E L T A L E L I C L T V X J R
R Z A A W A T N K D E Y Y O D
Y G K K R S U S Y E I M U A R
Y Z L O O E S T B R N N Y G I
T N U T S P D A N A S N N V N
S E R I O U S O L E W V G T K
T O A S T E R A M G V I C M X
T C E V I T A R E P O E R P B
A I L A N R U T A S K G K D G
S Y M P O S I A C P R K C K S
```

ABSTEMIOUS	GLASSWARE	ROCKY
BUZZ	GUSTO	SATURNALIA
CANIKIN	LAIRY	SERIOUS
CUPHOLDER	MODERATE	STEIN
DENATURANT	OVERDRINK	STUNT
DOGGERY	POKAL	SYMPOSIAC
DRUNK	PREOPERATIVE	TEAR
EVENTUALITY	RHYTON	TOASTER

E SPORT

```
C  E  Y  A  K  C  A  M  L  A  R  D  U  U  T
M  H  L  H  O  O  P  S  I  P  T  E  N  N  J
E  Z  E  L  P  U  I  C  N  P  S  O  X  A  G
C  K  H  L  I  K  M  O  C  L  T  A  H  O  H
W  A  A  N  S  V  K  U  O  I  I  U  T  S  B
Y  D  L  T  A  E  S  T  L  Q  C  L  R  C  E
F  E  R  L  S  M  A  T  N  U  K  K  A  F  E
R  E  K  A  E  P  S  C  N  E  Y  A  C  Y  R
F  M  Y  C  O  R  O  T  O  U  J  G  K  K  B
F  I  L  J  O  B  W  R  A  U  H  F  S  S  S
E  Z  X  I  M  J  E  I  T  B  N  H  I  Y  G
R  T  R  N  M  E  L  E  N  I  I  T  D  D  K
L  L  O  S  M  I  L  P  N  N  N  A  E  M  K
K  R  O  W  D  A  O  R  W  K  E  G  D  R  H
Y  R  A  N  I  M  I  L  E  R  P  R  J  H  Z
```

APPLIQUE	JOCKEY	SPEAKER
BATSMAN	KNEEBOARD	SPORTING
BOXER	LINCOLN	STICK
CALLER	MACKAY	TAKE
CHELSEA	PLIMSOLL	TRACKSIDE
COUNTER	PRELIMINARY	TURF
HAND	ROADWORK	WINNER
HOOP	SCOUT	
HUNTSVILLE	SHOT	

UNIVERSITY

```
H  I  B  A  D  A  N  K  O  T  D  O  O  H  V
A  A  P  W  W  V  U  R  E  L  F  P  Z  S  E
R  S  R  A  X  P  Q  D  E  R  O  A  A  A  G
A  L  J  V  C  X  R  U  A  H  R  M  R  S  B
R  R  U  P  A  H  L  O  K  P  G  T  O  D  S
E  P  Q  L  R  R  U  V  F  K  B  I  E  U  H
P  Q  C  A  M  I  D  C  W  E  J  Y  H  C  C
G  K  E  N  S  U  N  J  A  J  S  W  K  Q  O
R  M  Z  T  G  S  I  C  B  I  B  S  D  H  E
A  O  W  A  N  N  I  V  E  R  S  A  R  Y  V
C  E  T  U  T  A  T  S  I  T  R  H  D  T  U
X  I  I  C  O  L  U  U  T  R  O  I  N  E  S
C  O  L  L  E  G  I  U  M  A  T  N  P  N  S
W  I  S  N  C  R  E  S  P  O  N  S  I  O  N
S  A  B  B  A  T  I  C  A  L  R  T  N  V  S
```

ANNIVERSARY	IBADAN	PRINCETON
ASSISTANT	KERR	PROFESS
COLLEGIUM	KOLHAPUR	RECTOR
DRAFT	OLOMOUC	RESPONSION
HARARE	PACHUCA	SABBATICAL
HARVARD	PADUA	SENIOR
HIGHER	PASS	STATUTE
HOOD	PLANT	TRIVIUM

BABY SHOWER

```
P B B B E G L U B D L B F F G
R E A R R C O W L I C K E L A
F E E B A E M L L O M T E A Y
I O L L Y S A U P K V E D G B
N D R W S S H S I M B R T E Y
F V J C A A H E T S U M A O U
A C Y G E R J I L F A L C L S
N R U S K P C W P K E N P E A
C N T R E H S U P B C E M T G
Y T N A F N I C J Y S I D Y E
Y L A H P E C O R C I M R L G
E G A I R R A C S I M Q H T F
S C A R E B A B E U F B I P S
S T I L L B I R T H I M D H S
K B Q M U I I P N E K G H B Q
```

ASLEEP	FORCEPS	PUSHER
BABYSHIP	GAYBY	RUSK
BRASH	GYMNASIUM	SCAREBABE
BREASTFEED	INFANCY	STILLBIRTH
BULGE	INFANT	TERM
COWLICK	MICROCEPHALY	TRICKLE
CRAWLER	MISCARRIAGE	USAGE
FEED	MOLL	
FLAGEOLET	PLUMP	

PEOPLE

```
C  A  M  E  M  X  R  A  G  A  B  A  S  H  G
E  O  W  A  O  Y  O  N  U  D  O  G  I  D  E
H  S  S  O  Y  K  I  T  A  N  E  M  U  K  N
H  C  E  T  I  A  D  Z  I  P  R  G  S  A  U
J  E  N  N  A  B  N  R  C  R  S  W  A  W  I
V  U  R  E  A  N  V  K  U  R  O  N  I  J  N
E  S  V  D  R  P  O  Z  R  E  E  C  I  Y  E
I  Y  Y  C  Z  F  A  A  U  E  D  N  O  B  E
G  N  I  S  U  O  H  J  N  Y  C  I  N  M  D
E  I  R  H  P  M  A  J  M  A  L  C  O  A  M
E  C  N  E  R  R  U  C  N  O  C  L  F  R  M
I  N  T  E  R  R  A  C  I  A  L  G  E  X  F
I  T  A  R  E  T  I  L  T  E  L  L  I  M  S
P  O  P  U  L  A  R  P  U  B  L  I  C  X  Q
E  D  U  L  C  E  S  L  A  R  E  V  E  S  Z
```

AGED	HOUSING	MILLET
CLAMJAMPHRIE	INSPAN	MOCORITO
CONCURRENCE	INTERRACIAL	POPULAR
COSTANOAN	IOWA	PUBLIC
FRENCH	JAPANESE	RAGABASH
FROIDEUR	KITANEMUK	SECLUDE
GENUINE	LITERATI	SEVERAL
GUAICURU	MANNER	
HERD	MAYAN	

Puzzle #21

ESTATE PLANNING

```
M  R  H  S  A  R  B  C  R  O  N  O  D  C  L
I  G  M  A  D  C  E  L  A  Z  Y  T  S  A  H
N  M  E  S  M  Y  H  V  A  R  X  K  C  S  H
V  F  I  X  I  N  G  E  A  M  E  I  B  U  N
E  C  T  O  N  T  R  S  E  Y  E  L  H  A  P
N  C  F  R  I  D  A  U  E  K  O  C  E  L  O
T  X  B  E  S  C  A  R  E  I  Y  R  H  S  I
O  D  J  C  T  T  T  E  O  N  S  O  D  W  S
R  J  P  E  E  B  D  X  H  P  G  I  P  O  J
Y  A  E  G  R  A  L  N  E  E  R  I  N  Q  X
I  N  T  E  R  D  I  C  T  X  L  O  E  O  I
L  I  M  I  T  A  T  I  O  N  Y  B  C  S  Z
N  O  I  T  A  T  I  D  E  M  C  S  M  Z  C
E  D  U  T  I  V  R  E  S  H  G  K  U  U  L
N  O  I  T  C  A  R  T  S  B  U  S  R  C  H
```

ADMINISTER   ENLARGE   SEIGNEUR
AVER   FIXING   SEISIN
BLAME   HASTY   SERVITUDE
CARELESS   HUMBLEHEAD   SHRM
CASUAL   INTERDICT   SUBSTRACTION
CHEEKY   INVENTORY
CORPORATISM LIMITATION
DONOR   MEDITATION

25

LITERATURE

```
B  D  S  I  T  Y  L  E  D  I  G  C  O  E  P
B  Y  R  C  O  M  I  C  E  E  T  A  L  X  A
T  A  Z  A  R  M  G  J  V  T  A  Y  Y  P  T
D  S  G  A  B  U  D  L  O  J  O  T  I  L  R
H  U  I  A  N  B  E  E  U  S  P  J  H  I  I
M  L  E  T  T  L  T  R  T  U  R  N  C  P
E  Y  D  S  A  E  I  E  A  E  M  T  S  A  A
G  V  P  Z  P  R  L  N  R  R  N  K  F  T  S
Y  F  G  Q  D  C  A  L  I  E  E  N  D  E  S
G  N  I  N  N  E  K  P  E  S  K  T  A  N  I
M  O  V  E  M  E  N  T  M  N  M  A  T  M  A
M  S  I  L  A  E  R  K  N  O  O  Y  E  I  N
C  I  T  A  M  E  H  C  S  W  C  Z  L  P  L
M  S  I  C  I  T  S  I  R  T  A  P  K  Z  S
S  C  H  O  L  A  R  S  E  M  I  O  S  I  S
```

BAGATELLE	EXPLICATE	PATRISTICISM
BYZANTINISM	GIDE	PSEUD
COMIC	KENNING	REALISM
COMPARATIST	LATE	SCHEMATIC
DEATH	LITTERATEUR	SCHOLAR
DEVOUR	MANNERED	SEMIOSIS
DRABBLE	MOVEMENT	SPEAKER
ELYTIS	PATRIPASSIAN	TURN

Puzzle #23

CLOUD

```
T  C  C  D  T  L  E  D  M  Q  X  R  O  P  G
U  L  O  U  E  F  L  Z  I  U  L  J  V  U  F
C  O  V  R  M  N  I  A  A  R  D  V  E  F  C
A  U  E  F  E  U  I  R  B  H  U  D  R  F  B
N  D  R  Z  O  G  L  A  D  E  L  L  L  L  E
A  I  P  F  E  O  N  I  B  W  R  O  A  E  F
Q  N  T  F  I  R  P  E  F  L  O  I  Y  T  U
H  G  S  P  E  C  K  T  S  O  E  D  F  Q  R
I  N  D  I  C  A  T  O  R  S  R  A  A  G  Q
N  E  P  H  O  L  O  G  Y  E  E  M  B  H  H
N  O  C  T  I  L  U  C  E  N  T  M  P  U  S
U  N  D  E  R  C  A  S  T  W  C  S  B  A  T
T  U  O  E  T  I  H  W  L  Q  I  B  I  U  B
E  P  W  E  W  F  I  Y  G  S  F  S  H  W  E
N  O  M  Y  Y  F  Z  O  V  S  R  E  P  N  T
```

CLOUDING	MESSENGER	SPECK
COVER	MUDDLE	TUBA
CUMULIFORM	NEPHOLOGY	TUCANA
DENIABLE	NOCTILUCENT	TWISTER
DRIFT	OVERLAY	UNDERCAST
FIREBALL	POOF	WHITEOUT
HAZE	PUFFLET	WISP
INDICATOR	RIFT	
LURID	SHADOW	

PARTY

```
B  R  A  C  Q  U  I  E  S  C  E  N  C  E  O
T  A  A  T  G  H  A  R  D  E  E  N  O  O  B
T  N  A  T  U  A  E  G  N  I  R  F  M  U  L
F  C  A  T  Z  O  L  I  Z  L  N  M  M  T  I
U  A  E  M  H  W  K  A  X  I  H  W  I  S  G
S  C  C  L  I  I  T  O  W  D  A  S  S  I  O
H  V  R  T  E  A  S  N  O  H  G  A  S  D  R
R  I  A  A  I  S  L  M  E  C  J  X  A  E  Q
X  E  M  K  L  O  E  C  D  M  H  K  R  R  R
C  T  D  S  F  U  N  D  R  A  I  S  E  R  A
J  A  T  A  E  A  G  F  W  E  S  R  W  C  O
V  Y  R  F  E  L  D  E  X  H  D  U  R  M  V
H  I  G  M  U  L  F  X  R  H  Q  N  O  E  F
T  N  A  T  I  L  I  M  U  L  A  C  A  K  M
Y  X  O  D  O  H  T  R  O  V  W  T  W  P  Y
```

ACQUIESCENCE	FRINGE	OBLIGOR
BAATHISM	FUNDRAISER	ORTHODOXY
CEILIDH	GALA	OUTSIDER
CLAIMANT	HARD	PANDER
COMMISSAR	HIMSELF	RATZ
COOKOUT	LEADER	REGULAR
DESELECT	MERRIMENT	
FACTION	MILITANT	

COOKING

```
N U J A C P A R M E S A N B C
B A K D E U H O O D L C L A A
E R E C I G P V S Q A O E C D
K S O L A S D F U R T R E O I
R C C C H H E U R K I K N L
G O A U H A S I R L E A O S L
P N A B L E W K S D F N U Y A
B M O S T E T A O O X D M S C
W P E Y T A N T T O M E I Y V
T Z K E N B F T E M C R F F T
E R A W D R A H P A T T Y M L
Q S I N I C R O P P X V S D T
I H I Q W J W I B L Q R R V D
E U I G S A L A M A N D E R E
N A M Y R T L U O P F S P P O
```

BACON	DREDGE	PATTY
BROCHETTE	ESCULENT	PORCINI
CADILLAC	FATBACK	POULTRYMAN
CAJUN	HARDWARE	ROAST
CLEAN	HOOD	SALAMANDER
COOKSHACK	LATKE	SHISO
CORIANDER	LEEK	TAWA
CUPFUL	MIRRNYONG	
DISH	PARMESAN	

29

GOLD

```
A  L  L  I  R  A  B  P  N  G  L  O  B  E  D
S  L  R  U  P  K  G  N  O  O  R  I  N  G  U
O  T  K  I  N  C  O  B  A  L  L  O  F  U  C
S  N  E  T  A  H  L  F  R  B  L  B  W  R  T
T  H  H  N  D  O  D  R  T  E  O  A  O  B  I
E  S  A  X  O  L  W  N  E  G  K  U  C  D  L
N  Y  N  B  Y  V  O  C  I  D  A  C  K  Z  E
S  L  M  S  I  H  R  G  A  N  I  R  O  Q  U
O  V  K  R  I  L  K  E  E  Q  A  P  I  R  L
R  A  P  Y  N  F  I  A  H  L  G  T  S  G  S
I  N  O  I  B  W  N  M  P  C  A  B  L  K  N
U  I  W  X  U  D  G  C  E  H  G  P  B  U  X
M  T  E  X  B  G  S  E  I  N  O  O  T  N  S
G  E  X  N  O  I  T  A  Z  I  T  E  N  O  M
E  T  I  N  N  A  M  H  T  U  M  A  A  F  C
```

BARILLA	KINCOB	RING
CALLOP	KOFTGARI	ROCKER
CHERVONETS	MONETIZATION	SPIDER
DOBLON	MUTHMANNITE	SULTANIN
DUCTILE	OBAN	SYLVANITE
GLOBE	OSTENSORIUM	TOONIE
GOLDWORKINGS	PALEGOLD	
HABILIMENT	PURL	

PHOTOGRAPHY

```
G  R  R  Y  E  C  M  E  T  O  L  O  D  I  R
E  A  U  O  T  T  Y  O  T  O  H  P  U  N  A
C  L  T  O  T  S  T  A  F  O  O  R  P  T  Y
M  I  U  N  L  A  A  E  N  T  O  K  L  E  O
T  O  H  C  O  O  T  R  V  F  H  H  I  N  M
R  H  N  P  I  S  C  U  T  U  N  R  C  S  E
O  W  X  O  A  T  E  L  M  N  C  V  A  I  T
U  C  V  P  C  R  N  T  K  M  O  I  T  F  E
G  Y  D  D  N  L  G  E  I  V  O  C  E  I  R
H  E  K  W  I  Q  E  O  L  K  I  C  D  E  E
P  A  N  O  T  Y  P  E  M  G  A  W  M  R  K
U  U  T  Q  L  O  X  O  D  O  G  R  A  P  H
P  A  M  O  T  O  H  P  M  F  L  G  A  F  E
C  I  T  S  I  L  A  R  U  T  A  N  Q  P  H
T  N  I  R  P  O  T  O  H  P  Z  P  U  G  P
```

COLOUR	LOMOGRAPHIC	PHOTOMAP
COMMUTATOR	LOXODOGRAPH	PHOTOPRINT
CONTRASTY	METOL	PROOF
CUVETTE	MONOCLE	RAYOMETER
CYAN	NATURALISTIC	SONTAG
DUPLICATE	PANOTYPE	TROUGH
INTENSIFIER	PARAKITE	
LENTICULE	PHOTO	

PIANO LESSONS

```
C  A  M  P  I  O  N  E  I  T  A  S  G  F  J
A  C  C  O  M  P  A  N  I  S  T  I  I  A  O
R  A  U  T  O  P  I  A  N  O  Y  Q  V  I  A
E  E  E  E  I  E  K  T  P  M  R  F  E  R  N
N  S  N  N  T  O  R  N  H  N  Y  V  I  Y  N
O  R  P  N  T  U  N  U  I  M  O  S  D  A
V  A  E  A  I  P  E  T  L  N  K  C  V  E
A  G  G  O  L  G  R  M  R  C  P  K  H  I  W
C  T  R  S  O  E  E  T  I  F  E  R  O  R  T
H  I  V  B  E  X  V  B  A  X  V  L  O  G  I
O  M  R  E  C  I  T  A  T  I  O  N  L  I  L
R  E  S  E  M  I  T  O  N  E  N  D  W  N  I
D  P  I  A  N  O  F  O  R  T  E  E  O  A  V
R  O  T  I  T  E  P  E  R  Z  X  G  R  L  L
E  L  K  N  I  T  M  I  H  L  S  N  K  S  A
```

ACCOMPANIST	GIVE	REPETITOR
ACTIONER	IMPUTE	SATIE
AUTOPIANO	JOANNA	SCHOOLWORK
BEGINNER	LECTURE	SEMITONE
CAMPION	NOVACHORD	THIN
EDIFY	PIANOFORTE	TINKLE
ELAPSE	PLUNK	VIRGINALS
ENTERTAINER	RAGTIME	
FAIRY	RECITATION	

SCIENCE

```
N  A  R  M  I  T  Z  C  C  A  U  W  L  R  H
D  A  L  I  T  E  C  A  R  D  I  O  L  G  Y
D  O  R  A  Y  I  U  B  I  O  G  F  X  N  D
G  I  M  T  B  P  W  B  M  L  U  X  I  R  R
R  M  P  A  R  A  K  A  I  U  Y  T  B  I  A
L  Y  E  L  I  O  C  L  N  A  G  C  E  O  U
Q  F  V  R  O  N  F  A  O  B  P  S  D  R  L
Y  G  O  L  O  M  O  N  L  E  K  O  V  N  I
K  A  B  B  A  L  A  H  O  F  N  Q  O  F  C
Y  G  O  L  O  E  G  C  G  K  E  J  W  N  Y
E  N  I  C  I  D  E  M  Y  C  S  A  U  X  T
Y  G  O  L  O  T  A  M  M  A  R  G  O  Q  A
A  I  E  O  P  O  L  E  M  N  S  I  X  T  N
S  C  I  R  T  E  M  O  N  C  O  L  O  G  Y
M  O  R  P  H  O  L  O  G  I  S  T  H  O  W
```

CABALA
CABBALA
CARDIOLGY
CRIMINOLOGY
DIPLOMACY
DOMAIN
FORTRAN
GEOLOGY

GRAMMATOLOGY
HYDRAULIC
INVOKE
KABBALAH
MEDICINE
MELOPOEIA
METRICS
MORPHOLOGIST

NOMOLOGY
ONCOLOGY
ROUTER

Puzzle #30

PHOTO EDITING

```
P  O  H  S  O  T  O  H  P  S  H  A  R  P  F
E  E  N  O  I  T  P  A  C  A  T  C  H  A  E
C  R  N  D  E  M  E  N  D  S  H  O  R  T  A
D  L  U  O  O  G  N  I  V  A  R  G  N  E  T
E  N  A  T  G  C  P  F  S  M  S  Y  S  P  U
G  E  U  P  R  Y  U  H  L  O  T  G  N  R  R
E  N  U  O  B  E  B  S  O  N  Y  C  A  O  E
R  T  I  Q  R  O  P  T  O  T  W  E  P  C  D
C  E  O  P  R  G  A  A  S  A  O  U  C  E  V
P  G  I  U  A  A  E  R  K  G  P  C  H  S  C
K  Z  F  S  Q  C  M  R  D  E  P  H  A  S  L
S  L  U  G  S  I  S  I  O  V  V  O  T  L  K
O  X  V  O  S  U  P  T  R  F  E  R  C  X  L
L  N  A  T  A  R  E  J  U  T  I  L  I  T  Y
U  N  D  E  R  C  U  T  S  N  N  W  V  Q  R
```

APERTURE	FOREGROUND	SHARP
BYGONE	MARQUEE	SHORT
CAPTION	MONTAGE	SLUG
CATCH	NUTSCAPING	SNAPCHAT
CLAPBOARD	PHOTOCALL	TRIM
DOCUSOAP	PHOTOSHOP	UNDERCUT
EMEND	PIQUOTE	UTILITY
ENGRAVING	PROCESS	
FEATURED	REISSUE	

FRIENDSHIP BRACELETS

```
A  F  F  E  C  T  D  N  O  B  B  C  M  R  S
T  P  D  D  S  H  I  P  Y  R  R  A  A  E  E
R  C  P  E  E  N  R  Z  K  E  O  L  K  P  V
Y  E  A  R  A  V  R  B  W  A  M  U  E  U  E
M  R  D  R  A  R  O  U  X  K  A  M  N  L  R
T  J  A  N  T  I  R  T  P  L  N  E  E  S  E
J  M  A  L  E  N  S  V  I  S  C  T  C  E  W
W  A  R  M  O  G  O  E  H  O  E  A  E  C  K
W  N  S  L  H  T  N  C  E  T  N  P  S  I  W
C  I  R  B  A  F  S  E  K  R  E  T  S  I  S
S  H  O  D  O  O  H  I  L  D  N  E  I  R  F
E  M  O  C  L  E  W  B  P  U  G  R  T  H  O
S  K  A  E  R  B  T  R  A  E  H  F  U  Y  N
S  U  O  I  N  O  M  R  A  H  K  S  D  Q  L
P  O  S  S  E  S  S  I  O  N  B  J  E  S  J
```

AFFECT	ENGENDER	REPULSE
APPRAISE	EPISTOLARY	SEVER
BOND	FABRIC	SHIP
BREAK	FRIENDLIHOOD	SISTER
BROMANCE	HARMONIOUS	SPURN
CALUMET	HEARTBREAK	WARM
CONTRACT	MAKE	WELCOME
DEAR	NECESSITUDE	
DEVOTION	POSSESSION	

WEATHER

```
A  R  E  D  L  U  O  B  C  B  D  I  F  F  Y
Y  N  L  O  W  E  R  Y  O  E  E  M  V  B  D
E  P  T  A  Y  O  Z  U  O  A  S  T  I  H  H
D  T  P  I  M  K  E  H  L  U  E  A  M  L  F
V  I  A  O  F  S  R  T  U  T  R  I  I  X  D
V  O  V  R  H  R  I  A  A  I  T  N  M  Z  M
J  N  N  E  D  C  E  D  P  F  S  T  P  W  P
B  T  X  X  R  Y  O  E  I  U  P  R  N  X  Z
S  D  P  W  F  G  H  M  Z  L  A  Y  U  V  H
D  R  U  M  L  Y  E  E  T  E  L  T  R  O  P
N  O  S  A  E  S  O  N  D  J  K  H  W  S  D
S  E  T  T  L  E  D  E  C  B  O  C  T  C  R
V  O  F  X  X  L  A  M  R  E  H  T  O  S  I
P  R  O  G  N  O  S  I  S  P  W  N  U  V  E
R  E  T  L  E  H  S  U  M  B  R  E  L  L  A
```

ANTIFREEZE	DIVERGENCE	PROGNOSIS
BEAUTIFUL	DRUMLY	SEASON
BOULDER	IFFY	SETTLED
CHOPPY	ISOTHERMAL	SHELTER
COOL	LOWERY	TAINT
DEHYDRATE	MILD	UMBRELLA
DESERT	PARKY	
DISMAL	PORTLET	

JEWELRY

```
E  A  M  U  L  E  T  F  A  B  V  K  V  E  P
B  T  J  C  O  U  L  O  M  B  A  L  Z  L  I
G  U  T  E  N  R  A  G  E  H  P  N  Y  E  P
R  O  L  E  W  J  U  E  T  A  A  C  D  G  I
J  E  L  L  R  E  M  I  H  K  W  I  H  A  N
L  Q  A  D  I  G  L  U  Y  C  P  Q  R  N  G
X  O  Z  L  E  O  I  S  S  X  U  M  P  C  P
G  N  O  R  P  N  N  A  T  C  Y  O  O  E  L
E  V  I  T  A  R  O  C  E  D  Z  N  L  H  A
J  E  W  E  L  R  Y  M  U  G  G  E  R  L  T
Y  T  L  E  V  O  N  D  E  C  R  E  I  P  I
P  R  O  T  E  C  T  P  U  N  C  H  X  K  N
R  U  T  H  E  N  I  U  M  Y  M  R  G  W  U
Y  R  E  P  M  U  R  T  V  E  U  T  O  C  M
L  T  L  O  B  G  W  F  I  G  K  H  O  I  E
```

AIGRETTE	GOLDEN	PLATINUM
AMETHYST	HAIR	PRONG
AMULET	JEWEL	PROTECT
BAND	JEWELRY	PUNCH
BULLION	LOUCHE	REAL
COULOMB	MUGGER	RUTHENIUM
DECORATIVE	NOVELTY	TRUMPERY
ELEGANCE	PIERCED	
GARNET	PIPING	

PIZZA

```
W  R  D  K  B  Q  D  R  E  T  E  M  A  I  D
Y  O  U  A  L  A  E  I  E  N  O  U  G  H  M
Z  L  H  E  M  M  L  N  S  G  L  O  B  S  O
F  M  R  C  S  N  A  S  O  T  H  E  A  T  N
A  P  G  I  D  S  Y  R  T  B  E  E  G  A  D
S  T  N  U  A  J  I  S  G  O  O  N  E  T  O
O  W  T  U  N  F  E  O  U  H  P  D  D  E  G
E  S  I  W  E  K  I  L  N  P  E  P  Y  M  M
A  I  R  E  Z  Z  I  P  U  N  R  R  I  E  E
A  L  L  E  R  A  Z  Z  O  M  O  E  I  N  P
R  E  N  O  U  N  C  E  N  Y  K  C  M  T  G
T  U  O  E  K  A  T  U  M  A  I  O  U  E  A
V  I  S  I  T  A  T  I  O  N  G  F  G  I  K
H  B  X  F  G  H  F  G  U  Z  V  E  Q  T  V
R  T  G  V  V  I  J  R  E  S  Z  N  V  N  C
```

CHOW	HEAT	SLAB
CONNOISSEUR	JAUNT	STATEMENT
DAMN	LIKEWISE	SUPREME
DELAY	MARGHERITA	TAKEOUT
DIAMETER	MONDO	TOPPING
DISTEND	MOZZARELLA	VEGAN
ENOUGH	NOBODY	VISITATION
FAIRLY	PIZZERIA	
GLOB	RENOUNCE	

MOM

```
T  N  U  A  C  O  M  P  E  L  L  I  N  G  D
D  Y  W  R  U  O  H  I  L  M  K  P  R  S  I
E  E  T  O  R  E  N  E  N  U  F  F  A  H  S
H  M  P  I  S  O  V  S  V  J  N  E  I  O  P
F  X  U  L  D  I  T  I  E  I  U  A  L  C  U
Z  H  L  L  O  E  D  A  T  R  T  R  C  K  T
C  E  M  E  O  R  R  O  R  N  V  I  E  Y  E
Z  B  E  R  E  V  E  E  T  T  E  E  N  E  T
N  O  I  T  A  T  R  O  H  X  E  C  P  U  M
I  M  P  L  O  R  I  N  G  L  Y  P  N  S  P
I  N  E  S  C  A  P  A  B  L  E  W  R  I  B
O  V  E  R  Z  E  A  L  O  U  S  J  Y  E  M
R  E  G  U  L  A  T  O  R  Y  D  X  G  U  P
R  E  P  U  L  S  I  O  N  J  G  M  W  T  Q
R  E  T  I  C  E  N  C  E  J  V  J  S  A  H
```

AUNT	HOUR	PUNITIVE
COMPELLING	IMPLORINGLY	RAIL
CONSERVE	INCENTIVE	REGULATORY
DEPLORE	INESCAPABLE	REPULSION
DISOWN	INJURE	RETICENCE
DISPUTE	LUNACY	SHOCK
EXHORTATION	OVERZEALOUS	VOLUME
HEREDITY	PERPETRATOR	

INTERNET

```
H I E L C I T R A Q D G H C N
T M N D E L M X B E I E Y Y F
M A G O N M I U K E G O P B Y
L P Z N I U I C Y A I C E E K
N U K X I T F R K R T A R R W
D O T C O M C D C K A C L S G
I S O M A P O E W R L H I P M
V I R A L H E N O E E N E O
J A R G O N W E R N R B K A Q
S E R V L E T E R G O C Y K U
P H I S H I N G L I L C Y C O
R A B E D I S U R G N L E M U
R E G A N E E R C S O G O T S
J S U B S C R I P T I O N R R
T I M E O U T I B K K H G M T
```

ARTICLE	GEOCACHE	SCREENAGER
CLICK	GOOGLEWHACK	SERVLET
CONNECTION	GROOMING	SIDEBAR
CROWDFUND	HTML	SUBSCRIPTION
CYBERCRIME	HYPERLINK	TIMEOUT
CYBERSPEAK	IMAP	TROLL
DIGITAL	JARGON	VIRAL
DOTCOM	PEERING	
EBXML	PHISHING	

ELECTRIC BIKES

```
A E D A L B C O R D L B C C P
H M Z C E K L E B R O R O O L
R B P Z O C L O S S O O M M U
J X A E D N I A W G P U M M G
N G I S R A T V X E K G U U T
R N O I T A C R E O R H T T R
D Y N A M O G Q O D N A A A I
A M S A L P Z E U L Y M T T P
D I S C H A R G E R L L E I U
X E T A L L I R B I F E D O I
R E T P U R R E T N I W R N H
D I O N I T A L P H T A E H S
E I R E S S I T O R H X J Y G
T H U N D E R F I S H U U O C
G N I R I W T J F M Z N T J X
```

AMPERAGE	DEFIBRILLATE	PLUG
BLADE	DEVICE	ROTISSERIE
BLOWER	DISCHARGER	SHEATH
BROUGHAM	DYNAMO	SIGN
CATION	INTERRUPTER	THUNDERFISH
COMMUTATE	KLAXON	TRIP
COMMUTATION	LOOP	WIRING
CONTROLLER	PLASMA	
CORD	PLATINOID	

MOUNTAIN

```
E  N  I  N  N  E  P  A  K  V  A  H  S  P  H
G  L  C  C  G  I  L  A  K  A  N  V  B  A
B  N  P  L  R  S  I  S  Z  V  L  B  E  A  F
R  Y  E  I  I  O  I  R  B  S  T  Y  D  L  T
I  S  R  T  S  M  W  Y  E  J  I  W  O  P  G
C  N  L  R  U  C  B  N  K  P  P  N  W  Y  M
K  G  O  E  H  R  E  V  U  O  C  N  A  V
T  O  M  I  I  B  P  S  L  N  R  O  H  I  E
I  N  T  A  T  H  G  T  N  C  T  A  I  H  H
M  D  Q  R  R  A  T  O  O  O  A  I  L  O  Z
B  O  I  A  E  T  M  O  D  R  W  N  L  K  L
E  L  B  H  L  N  I  R  O  J  R  C  N  T  G
R  A  J  T  E  G  D  L  O  F  E  E  A  I  C
E  E  R  T  D  N  U  O  R  F  G  E  N  P  P
J  C  L  Z  B  Y  H  G  T  U  D  J  B  T  I
```

ALTIPORT	GILL	ROUNDTREE
APENNINE	GLEN	SIPLE
BRICKTIMBER	GONDOLA	SNOWCAP
CLIMB	HAFT	TORRENT
CROWN	HORN	TRAM
DOGBERRY	KAZBEK	TREND
DOWNHILL	PHUTENG	VANCOUVER
FOOTHILLS	PINNACLE	
FORMATION	PSHAV	

Puzzle #39

GERMANY

```
A  G  I  L  S  E  D  N  U  B  C  A  G  M  Y
D  T  R  U  F  R  E  R  Y  G  A  Y  L  H  Q
Z  A  L  D  N  A  L  S  E  I  R  F  L  L  Y
E  N  R  U  H  K  I  E  S  I  N  G  E  R  Y
S  C  E  M  D  C  N  C  N  I  A  H  C  M  C
G  C  I  L  S  W  A  E  A  G  P  V  T  A  A
L  R  H  R  B  T  I  Z  G  M  Q  N  O  R  M
K  A  U  W  U  O  A  G  L  E  E  A  R  K  E
R  E  T  B  E  A  K  D  S  A  I  R  N  E  R
Z  E  U  R  S  I  M  R  T  H  S  S  A  V  A
F  S  K  P  E  F  N  V  N  Y  A  Y  D  L  L
Q  B  X  C  E  P  L  F  N  M  H  F  O  S  I
D  Q  J  A  U  R  P  O  U  Z  B  D  E  W  S
S  E  E  Z  O  M  L  U  W  R  H  Z  Q  N  M
P  L  U  N  D  E  R  W  W  C  T  Z  O  C  Z
```

ALLY	FRIESLAND	PLUNDER
BUNDESLIGA	KEUPER	SALZACH
CAMERAL	KIESINGER	SCHWEINFURT
CAMERALISM	KOBLENZ	SIEGEN
CARNAP	LUDWIGSHAFEN	TORNADO
CHAIN	MARK	WOLFSBURG
DARMSTADT	MAURICE	WUPPERTAL
ERFURT	MUCKER	

LEARN ENGLISH

```
A  C  O  N  G  R  E  V  E  S  U  I  L  E  D
S  U  T  R  O  L  L  O  P  E  I  T  N  A  B
N  C  B  A  A  Y  E  L  Y  V  I  A  O  P  A
F  A  I  R  N  N  R  E  T  D  M  P  B  N  C
I  L  M  N  E  G  Y  R  R  W  O  L  S  P  K
O  Z  I  O  O  Y  R  R  E  F  F  U  D  A  S
Q  N  I  G  L  B  Y  E  O  B  H  C  A  E  T
G  C  B  N  G  E  G  Z  A  Y  F  V  E  O
A  F  W  X  Q  E  N  I  T  O  D  A  H  Y  N
R  U  B  O  R  U  D  A  W  L  S  Q  D  A  E
I  M  P  R  O  V  I  N  G  M  U  F  F  I  N
P  E  L  L  E  T  E  R  D  O  C  S  E  P  I
W  O  R  R  A  S  U  N  E  K  O  W  T  V  B
H  J  M  A  N  C  I  E  Y  S  E  W  M  Q
Q  T  M  B  T  V  U  Q  H  Z  M  F  W  Q  Q
```

ANGLOMAN	DELIUS	PESCOD
ANGREZ	DUFFER	ROBUR
ANTI	EBONICS	SARROW
ANYROAD	FLIGGED	SLOW
ASPIE	IMPROVING	TEACH
AUBREY	INQUIRE	TROLLOPE
BACKSTONE	LEER	WOKEN
CONGREVE	MUFFIN	
DAYBERRY	PELLETER	

COLLEGE SCHOLARSHIPS

```
L  E  L  L  I  V  R  E  M  O  S  B  P  T  R
A  L  A  C  A  D  E  M  I  C  A  L  X  G  U
D  D  E  A  L  U  M  N  I  T  E  D  A  C  S
C  E  M  W  A  L  U  M  N  U  S  U  Z  L  H
R  O  O  I  N  K  H  I  G  H  E  R  S  P  E
R  E  M  C  S  A  N  P  R  O  V  O  S  T  E
N  E  H  M  U  R  U  S  U  B  J  E  C  T
X  I  G  T  E  G  I  C  L  V  N  G  G  A  A
F  M  K  A  A  N  N  O  N  F  C  M  N  V  B
G  E  Y  S  N  F  C  W  N  P  B  P  F  A  A
R  L  G  V  D  A  S  E  R  V  I  F  O  R  R
R  N  L  D  Q  B  M  F  M  U  G  N  C  S  D
P  H  Y  C  N  E  D  I  S  E  R  P  H  I  E
L  A  P  I  C  N  I  R  P  J  N  L  K  T  R
S  O  P  H  O  M  O  R  E  A  L  T  J  Y  K
```

ACADEMICAL	FATHER	SERVIFOR
ADMISSION	FLUNK	SKIN
ALUMNI	HIGHER	SOMERVILLE
ALUMNUS	MANAGER	SOPHOMORE
CADET	PRESIDENCY	SUBJECT
COED	PRINCIPAL	TABARDER
COMMENCEMENT	PROVOST	VARSITY
CRANWELL	RUSHEE	

TABLE TENNIS

```
B  I  T  Y  O  B  L  L  A  B  Z  D  L  R  A
U  R  N  N  C  D  I  N  E  T  T  E  O  I  Q
F  E  E  A  E  O  E  I  G  H  T  E  E  N  D
F  M  I  T  H  M  M  S  E  V  I  F  V  G  G
E  Y  U  G  T  G  U  M  G  I  M  E  L  G  T
T  Y  R  I  H  U  F  G  O  K  I  L  L  I  E
O  E  O  E  N  T  B  A  R  N  H  N  S  T  N
C  G  N  B  L  I  H  N  Z  A  O  E  P  R  N
Y  A  N  O  W  L  E  J  E  K  V  M  P  X  I
J  I  T  O  L  O  A  T  R  E  S  T  L  E  S
K  Z  V  R  M  L  L  G  S  B  T  I  I  E  Y
G  O  Z  H  Q  Q  A  F  I  N  A  R  G  Y  E
W  T  F  F  L  U  T  P  Z  N  I  C  I  T  S
Q  U  A  D  R  I  L  L  I  O  N  E  O  H  Z
T  E  C  H  N  E  T  I  U  M  O  K  U  A  T
```

AFGHANI	EIGHTEEN	MONGO
ARGUMENT	EIGHTH	PALLONE
BALLBOY	EINSTEINIUM	QUADRILLION
BUFFET	FIVES	RINGGIT
BUTTER	GALLERY	TECHNETIUM
COMMON	GIMEL	TENNISY
DINETTE	KILL	THIRTEEN
DONG	LOWBOY	TRESTLE

HOSPITAL

```
M S I C I T I R B A G C S U L
S D R A W E L Q V C O A W N A
P U Z M M R C E M U O M I I Z
I N C P R M E I R T D P V T A
T N O H A R W C P E W U E X R
A D M I S S I O N S H S L E E
L Z M T T E L R D A O T R S T
H D I H N A A A E N L H O M T
O T T E X E V R T T E U Y R E
U F M A Q V M A M R T V B M B
S J E T T L W R A I I S M J
E A N E G X M E O G R N L T A
C Z T R A N C Y J D G K E T L
N O I T A D N U O F N A Z P C
Y N N H O J R A L U G E R P T
```

ACUTE	COMMITMENT	LATRINE
ADMISSIONS	EARMARK	LAZARETTE
AGGRAVATION	ENDOW	LITTER
AMBULANCE	ENDOWMENT	REGULAR
AMPHITHEATER	FOUNDATION	SPITALHOUSE
BRITICISM	GOOD	SWIVEL
BROTHER	HOSPICE	UNIT
CAMPUS	JOHNNY	WARD

SOLDIER

```
E  H  C  O  B  D  G  U  E  S  C  L  I  N  F
M  D  R  U  M  S  E  I  T  U  R  B  I  D  E
R  I  U  H  V  A  D  V  S  E  V  E  R  U  S
C  E  E  O  N  M  R  R  E  C  N  A  L  D  Y
E  I  T  H  R  M  A  P  A  R  T  I  Z  A  N
N  Z  T  U  R  Y  G  K  K  G  E  C  Y  Q  C
N  A  I  A  O  E  O  B  I  V  O  U  A  C  A
T  A  M  L  T  C  N  S  P  R  D  D  X  A  T
B  L  M  T  I  I  C  N  D  N  A  M  M  O  C
N  D  T  N  O  B  O  A  A  N  P  L  X  X  I
T  C  Z  S  W  O  O  N  F  M  C  H  A  E  S
C  U  O  H  S  O  F  M  A  N  S  L  O  T  O
J  Z  W  F  C  B  G  M  E  K  V  T  E  T  D
R  E  I  D  A  N  E  R  G  D  L  E  U  K  S
T  A  O  C  Y  E  R  G  P  R  I  V  A  T  E
```

ACCOUTER	DRUM	MANNERHEIM
BIVOUAC	FOOTMAN	MANSLOT
BOCHE	GOWNMAN	PARTIZAN
CITATION	GRENADIER	PRIVATE
COMMAND	GREYCOAT	SAMMY
DEMOBILIZE	GUESCLIN	SEVERUS
DEVEREUX	ITURBIDE	
DRAGON	LANCER	

ANT

```
A  S  I  U  G  U  M  A  R  B  E  A  R  T  T
M  D  U  T  E  G  N  I  R  A  E  B  Q  B  F
A  C  O  G  N  R  H  B  E  V  E  R  B  R  Z
Z  J  A  P  R  A  O  E  V  A  P  B  Q  A  X
O  Z  P  S  O  A  L  B  D  R  E  L  T  I  W
N  C  I  F  T  R  E  I  S  C  O  L  O  N  Y
Q  M  U  I  R  E  H  T  A  G  E  M  F  W  A
D  U  L  O  S  I  S  T  T  S  D  H  O  O  T
N  I  L  O  G  N  A  P  R  P  S  N  R  R  H
F  O  R  M  I  C  I  N  E  A  J  A  M  M  A
M  U  I  R  O  T  A  D  U  X  E  O  I  D  L
N  A  R  E  T  P  O  N  E  M  Y  H  C  R  L
M  O  N  O  T  R  E  M  E  O  I  Z  A  L  I
S  U  O  M  O  D  Y  L  O  P  S  F  T  H  U
N  E  E  U  Q  W  O  R  K  E  R  B  E  V  M
```

AMAZON	BRAINWORM	MEGATHERIUM
AMUGUIS	BREVE	MONOTREME
ANTBEAR	CASTE	PANGOLIN
ARGUS	COLONY	POLYDOMOUS
ARTHROPOD	DULOSIS	QUEEN
ASSAILANT	EXUDATORIUM	THALLIUM
BEAR	FORMICATE	WORKER
BEARING	FORMICINE	
BORE	HYMENOPTERAN	

MAGIC

```
D T H T S I T P E D A W A N D
I L A T R A E P P A E S D M G
A F I O O A S S E E L B P G F
B F A H I H R P I Z L I U N U
L J A I N S T X J C Y N G N L
E U N S R U M H T J R D Y I K
R G N O C Y R K C G N O M E S
I G S A I I T B L Z P B X E P
E L P V I T N A K I T C H E N
S E F A V G A A L P O W W O W
T A N T R A A T T E W I T C H
K B C I V Z B M I I F Q U D G
S P E L L W O R K V O F H M L
K N A B E T N U O M E N B U R
T H A U M A T U R G Y L U O C
```

ADEPTIST	FASCINATION	SIGIL
APPEAR	GNOME	SPELLWORK
BRUNHILD	JUGGLE	TANTRA
DEBUNK	KITCHEN	TAOISM
DIABLERIE	LEVITATION	THAUMATURGY
EXORCISE	MAGIAN	THOTH
FAIRY	MOUNTEBANK	WAND
FAIRYTALE	POWWOW	WITCH

BIRD

```
E  L  L  I  B  D  D  A  W  A  R  C  O  R  M
E  I  R  L  R  U  O  I  G  N  I  L  R  O  G
A  E  R  B  I  E  L  O  V  N  L  O  O  M  H
U  B  W  E  A  B  K  B  R  R  I  Q  B  X  O
T  P  W  E  A  X  T  C  U  B  O  T  O  F  R
E  M  U  L  P  E  D  A  U  L  B  C  O  A  N
A  E  R  R  U  M  M  Q  L  S  L  U  W  C  B
C  N  U  X  E  Y  A  P  H  F  T  T  I  E  I
G  N  A  C  L  E  G  D  F  U  B  A  U  T  L
F  K  M  C  S  W  G  M  A  R  A  B  O  U  L
B  D  F  C  A  A  I  E  L  O  I  R  O  G  C
Y  N  A  Z  S  J  E  T  O  L  A  D  R  A  P
Q  U  I  L  L  W  O  R  K  S  Y  R  I  N  X
R  A  I  L  B  I  R  D  M  S  G  C  T  C  Z
S  C  A  P  U  L  A  R  I  Q  A  Z  T  O  G
```

AERIE	FLATBILL	MURRE
BILL	GOATSUCKER	ORIOLE
BROOD	GORLIN	PARDALOTE
BULBUL	HORNBILL	PEWEE
CORVID	JACANA	QUILLWORK
COTINGA	LOOM	RAILBIRD
CRAW	MAGGIE	SCAPULAR
DEPLUME	MARABOU	SYRINX

CAT

```
H  M  E  A  E  E  C  A  R  E  X  C  G  D  K
E  A  S  T  L  R  L  F  I  L  M  A  A  E  I
N  L  L  A  A  S  E  B  O  T  L  R  S  T  T
Z  T  I  D  H  N  O  H  A  U  R  E  P  E  T
E  E  O  P  A  C  I  E  W  D  S  S  O  R  E
P  S  N  I  D  O  M  M  L  Y  D  S  M  M  N
S  E  W  A  E  M  L  P  O  Z  N  I  A  I  I
C  A  T  B  O  A  T  U  I  B  Z  A  B  N  S
A  T  I  P  S  M  W  S  V  H  A  U  X  E  H
N  O  A  E  J  E  O  S  H  I  W  K  M  R  Z
N  S  I  S  A  I  R  A  C  O  X  O  T  Y  Q
E  Z  N  M  I  J  L  K  Y  U  H  Q  O  Q  M
R  O  S  C  A  A  D  Q  I  X  S  Z  S  A  A
Z  C  G  J  O  V  Q  X  F  R  P  A  E  E  B
N  R  Q  M  Q  Y  C  B  B  R  D  G  U  N  T
```

ABOMINATE	FILM	MUZZLE
ALSO	FOUSSA	PUSS
ANYWHERE	GASP	SCANNER
BIDDABLE	HENZE	SPIT
CARE	KITTENISH	TOXOCARIASIS
CARESS	LION	WHIP
CATBOAT	LOAD	WORLD
CHASM	MALTESE	
DETERMINER	MEAW	

EXERCISE

```
Y  E  K  A  I  S  E  R  C  F  T  R  I  G  K
M  H  H  N  B  D  H  S  O  R  P  H  I  U  C
D  S  P  T  I  F  W  K  N  E  E  E  G  N  D
D  I  I  O  A  P  T  I  S  E  D  V  T  I  G
T  H  S  T  R  E  S  L  T  W  P  A  T  S  L
E  N  D  P  O  T  R  L  R  R  R  O  R  L  K
P  U  S  H  U  P  A  B  U  I  O  R  A  A  W
R  E  G  Y  V  T  S  K  E  T  L  V  M  V  P
L  Y  C  E  U  M  A  E  F  I  U  O  P  U  W
A  F  R  K  C  L  E  T  D  N  S  L  O  L  E
S  A  L  U  T  A  R  Y  I  G  I  I  L  G  A
E  L  D  D  A  R  T  S  F  O  O  T  I  U  R
E  C  N  E  G  I  L  L  E  T  N  I  N  S  I
R  E  S  T  O  R  A  T  I  V  E  O  E  Y  S
K  C  I  T  S  E  L  G  N  I  S  N  E  B  W
```

ATROPHY	LYCEUM	SPIN
BREATHE	PARADE	STEP
CONSTRUE	PROLUSION	STRADDLE
DESPOTISM	PUSHUP	TRAMPOLINE
DISPUTATION	RESTORATIVE	VOLITION
FREEWRITING	RING	VULGUS
INTELLIGENCE	SALUTARY	WEAR
KAISER	SINGLESTICK	
LIGHT	SKILL	

CHILDREN

```
M  U  R  I  L  L  O  E  B  L  O  O  D  Z  C
F  D  L  I  W  H  T  B  V  C  E  D  P  D  H
W  R  R  I  T  K  C  K  M  I  R  W  Y  A  A
T  N  E  D  E  C  E  T  N  A  T  O  O  T  R
P  I  P  T  E  G  O  C  A  R  T  P  S  B  M
M  U  S  K  I  D  F  L  I  C  K  I  O  S  X
I  P  O  S  P  L  A  Y  G  R  O  U  P  D  J
S  E  M  R  U  E  L  I  R  E  U  P  S  D  A
O  K  U  U  C  E  Q  U  I  N  T  B  Q  H  D
P  K  C  G  P  T  R  U  A  N  C  Y  U  K  M
E  C  C  A  O  N  W  J  N  R  N  F  A  U  D
D  T  S  O  S  R  M  Y  V  K  J  S  B  G  R
I  L  T  V  T  G  N  I  G  N  I  R  B  P  U
S  C  M  X  F  S  H  F  W  V  W  Y  L  Y  O
T  Z  L  T  V  V  G  B  P  M  K  R  E  A  Q
```

ADOPTIVE	GOCART	ROGUE
ANTECEDENT	ISSUE	SACK
BLOOD	KIDFLICK	SQUABBLE
BOWEL	MISOPEDIST	STOCK
CATCH	MURILLO	TRUANCY
CHARM	PLAYGROUP	UPBRINGING
CROSS	PUERILE	WILD
CROUP	PUMP	
FRET	QUINT	

SOUP

```
A  E  B  O  R  S  H  C  H  B  M  A  L  C  K
E  N  U  D  A  S  H  I  V  R  R  A  N  R  A
E  L  A  Q  P  O  T  A  G  E  E  R  E  B  L
S  R  O  L  S  D  N  U  H  A  D  O  V  R  E
K  O  U  R  O  I  P  I  O  D  U  U  Z  S  C
A  A  U  B  E  G  B  U  H  S  C  X  A  M  X
G  N  E  P  R  S  G  R  A  T  E  F  U  L  W
T  S  S  T  Y  A  S  G  N  I  L  P  M  U  D
I  N  I  N  S  H  G  A  H  C  H  W  P  Z  U
T  N  E  L  U  C  S  E  C  K  A  U  Y  K  E
Q  V  D  G  E  N  E  L  I  R  D  A  M  C  M
N  I  Z  A  I  E  G  A  T  T  O  P  E  R  J
O  Q  I  G  U  D  S  O  U  P  B  O  N  E  V
W  O  N  T  O  N  N  S  W  I  F  T  L  E  T
U  A  C  X  B  W  M  I  K  R  O  A  K  T  W
```

ANALOG	ESCULENT	ROUX
BISQUE	GARBURE	SOUPBONE
BORSHCH	GRATEFUL	SOUPY
BREADSTICK	INDIGENT	STEAK
CASSEROLE	KALE	SWIFTLET
CLAM	MADRILENE	THIN
CREAM	POTAGE	WONTON
DASHI	POTTAGE	
DUMPLING	REDUCE	

PUZZLE

```
E  L  F  F  A  B  U  N  Y  A  D  I  Z  Z  F
R  E  S  A  E  T  N  I  A  R  B  O  T  S  F
C  A  T  C  H  Y  E  N  O  D  E  O  I  H  P
E  O  M  H  T  I  R  A  T  P  Y  R  C  N  J
O  X  N  A  P  Y  M  Y  T  S  A  N  E  P  G
E  R  P  N  R  I  L  Y  R  R  A  W  S  O  R
T  S  U  L  E  G  R  L  S  E  A  Z  K  S  E
T  I  O  K  I  C  O  G  A  T  E  C  E  I  S
E  S  W  P  A  C  T  G  O  T  I  U  K  N  O
T  L  I  E  I  K  A  H  O  G  N  F  Q  G  L
L  T  D  L  L  D  X  T  L  L  O  E  Y  L  U
A  W  I  D  Z  Z  J  P  E  R  P  L  M  Y  T
Q  E  Y  G  I  Z  Z  T  A  N  G  R  A  M  I
M  T  H  K  T  R  U  U  W  R  K  Z  G  G  O
R  R  N  D  K  P  G  P  P  G  G  Z  H  M  N
```

BAFFLE	EXPLICATE	PUZZLEWIT
BRAINTEASER	KAKURO	PUZZLIST
BUNYA	LOGOGRAM	QUEER
CATCHY	LOGOGRIPH	RESOLUTION
CONNECT	MENTALLY	RIDDLE
CRYPTARITHM	MYSTIFY	TANGRAM
DIZZ	NASTY	TRACK
DOING	POSE	
DONE	POSINGLY	

BEAUTIFUL SCENERY

```
D  E  G  A  Z  E  B  O  R  C  C  K  A  M  A
T  E  P  K  O  P  E  R  A  A  H  U  R  Q  A
B  E  I  O  I  O  U  F  H  R  R  O  P  A  E
H  S  O  T  I  T  G  W  V  N  Y  N  I  P  L
T  C  U  P  U  L  S  F  P  A  S  O  C  R  S
L  O  A  T  D  A  L  C  H  T  O  M  T  O  T
A  U  S  E  I  E  E  A  H  I  P  A  U  T  A
O  K  F  U  P  R  T  B  C  O  R  T  R  H  R
R  Q  P  E  O  R  T  O  S  N  A  O  E  A  L
C  O  I  N  C  I  D  E  N  T  S  M  L  L  E
J  T  W  T  X  A  C  E  D  A  E  A  U  A  T
H  I  B  E  M  A  R  A  H  T  T  N  B  M  G
N  R  E  T  T  A  P  G  R  Y  Z  I  N  I  N
L  Y  R  E  B  I  R  D  E  G  O  A  O  O  O
Y  N  O  T  O  N  O  M  Y  T  V  F  O  N  W
```

BEAUTIED	GRACEFUL	OPERA
CALLIOPE	GRACIOUS	PATTERN
CARNATION	KAMA	PEACH
CHRYSOPRASE	KITSCH	PICTURE
COINCIDENT	LARK	POET
DETONATION	LYREBIRD	PROTHALAMION
DETRITUS	MONOTONY	STARLET
GAZEBO	ONOMATOMANIA	

BASKETBALL

```
B  D  R  I  B  C  H  C  T  A  C  T  G  F  E
E  Y  C  H  W  A  R  Q  O  G  R  F  F  H  C
S  N  G  P  V  G  E  E  U  Q  A  L  L  E  V
T  D  O  O  E  E  J  L  T  Y  M  O  T  S  D
S  U  I  I  L  R  I  R  B  N  P  P  W  I  R
S  U  G  S  S  O  T  R  E  B  E  S  E  T  E
O  C  O  D  C  R  T  E  E  P  I  C  F  A  V
C  U  P  I  N  E  E  E  B  M  R  M  T  E
H  R  V  J  N  R  R  V  K  R  O  U  D  E  R
U  C  G  W  T  O  Y  N  N  C  E  U  J  A  S
I  L  L  H  R  I  M  H  I  O  A  F  N  K  E
N  O  S  N  H  O  J  R  P  B  C  R  E  D  X
S  D  N  U  O  B  N  I  A  L  L  A  B  R  P
N  O  I  T  I  S  O  P  J  H  R  E  W  W  W
E  L  B  A  R  T  E  N  E  P  H  U  X  Q  P
```

BEST	DEFT	JOHNSON
BIRD	DISCERNIBLE	JUMPER
BRACKETOLOGY	DRIBBLE	PENETRABLE
CAGER	FLOP	POSITION
CATCH	HARMONIOUS	REBOUND
CENTER	HESITATE	REFEREE
CONVERSION	INBOUNDS	REVERSE
CRAMP	JITTERY	

SILENT MOVIES

```
G  E  D  N  O  L  B  C  Y  R  A  E  R  D  D
E  I  P  E  V  I  T  A  R  A  P  M  O  C  I
D  V  S  O  K  M  A  A  M  Y  J  A  F  I  R
W  A  O  H  C  I  A  C  I  H  P  A  R  G  T
D  A  E  R  P  S  T  L  B  W  Q  T  D  Y  Y
N  N  L  T  P  R  A  S  L  M  U  M  P  S  S
W  D  A  T  S  P  O  M  C  K  P  Q  T  F  C
Z  Z  E  T  U  N  A  F  E  H  T  O  O  S  U
B  A  M  U  S  O  I  S  A  N  L  V  J  N  T
E  C  N  E  L  I  S  D  I  N  I  O  S  H  T
D  E  T  N  A  H  C  N  E  D  I  C  C  Q  L
O  B  J  E  C  T  I  F  Y  O  C  T  A  K  E
R  O  T  C  E  J  O  R  P  V  U  W  Y  X  A
T  N  E  L  O  I  V  X  P  H  V  C  Z  H  Q
V  I  S  I  B  I  L  I  T  Y  J  Q  X  J  Y
```

BLONDE	GRAPHIC	SCHLOCK
CINEMASCOPE	INSTEAD	SCUTTLE
COMPARATIVE	KITSCH	SILENCE
CRYPT	MALL	SOOTHE
DIRTY	MUMPS	STAND
DISAPPROVE	OBJECTIFY	VIOLENT
DREARY	OUTLAW	VISIBILITY
ENCHANTED	PROFANITY	
GISH	PROJECTOR	

MODEL TRAINS

```
W  A  H  S  D  A  R  B  S  E  V  E  E  J  B
O  A  T  H  L  E  T  I  C  S  T  E  E  L  F
Y  L  R  I  N  O  I  T  A  N  I  B  M  O  C
H  L  L  A  S  D  O  L  L  Y  H  E  A  D  T
E  N  D  O  L  O  A  D  S  T  A  R  L  Q  E
L  P  A  D  P  P  E  Z  A  M  N  A  V  Y  R
I  A  O  M  U  A  M  E  S  O  P  T  I  R  M
O  R  C  I  S  C  H  E  O  Z  E  F  C  Q  I
C  B  E  O  N  T  K  C  X  V  B  R  T  W  N
E  G  R  T  L  T  N  R  T  E  F  Z  R  M  A
N  Y  S  F  T  T  I  U  O  I  C  Y  O  P  L
T  V  N  N  Z  O  Q  N  H  W  W  Y  L  I  N
R  N  B  F  V  C  P  Z  G  D  X  S  A  T  G
I  V  I  Z  R  M  M  S  D  Z  F  A  P  S  S
C  E  Z  I  L  O  B  M  Y  S  V  R  W  F  S
```

APOLLO	HELIOCENTRIC	POSE
ATHLETICS	HUNTSMAN	SITA
BRADSHAW	JEEVES	SPOTTER
COMBINATION	LOADSTAR	SWITCH
CUDDLY	LOCAL	SYMBOLIZE
DOLLYHEAD	MAZE	TERMINAL
EXEMPLAR	NAVY	VICTROLA
FLEET	POINTING	WAXWORK

SOLAR ENERGY

```
A  H  T  M  G  D  X  C  E  T  R  C  Q  G  Q
C  C  T  R  O  N  E  U  Q  C  L  C  M  U  U
T  D  T  R  A  O  I  S  E  J  A  I  Q  M  I
U  Q  E  I  A  E  N  H  I  S  P  P  W  P  D
O  Z  D  T  O  E  H  I  S  C  N  H  S  T  D
S  T  U  U  S  U  X  O  K  U  C  E  J  I  L
I  X  A  B  G  U  S  N  R  I  P  A  T  O  E
T  H  H  U  F  L  A  N  G  U  O  R  T  N  Y
Y  T  I  R  I  P  S  H  R  L  D  E  Q  E  I
H  T  G  N  E  R  T  S  X  I  S  S  R  K  N
B  H  Y  D  R  O  P  O  W  E  R  T  P  T  U
L  U  N  I  S  O  L  A  R  B  N  O  U  Z  U
R  E  T  E  M  O  I  D  A  R  U  R  H  N  J
N  S  U  P  E  R  C  H  A  R  G  E  D  B  X
T  R  A  N  S  F  O  R  M  H  K  D  T  I  X
```

ACTIOUS	HYDROPOWER	RESTORED
ACTUOSITY	INTENSE	SPACE
CUSHION	LANGUOR	SPIRIT
DESICCATE	LUNISOLAR	STRENGTH
EARTH	MOON	SUPERCHARGED
EXHAUSTED	PUSHING	TRANSFORM
GUMPTION	QUIDDLE	WILT
HEART	RADIOMETER	

POTATO

```
S  C  R  I  S  P  H  A  F  Y  R  U  O  L  F
G  U  M  O  E  W  A  S  H  A  K  G  Y  S  W
L  N  O  L  U  N  I  P  A  S  R  B  A  A  A
S  A  I  U  U  G  K  H  A  H  I  L  M  W  F
M  S  U  L  D  A  J  A  H  S  H  N  P  F  F
E  A  E  D  R  R  H  L  X  A  L  P  K  L  L
N  L  T  N  I  E  A  T  P  O  O  C  S  Y  E
P  E  B  C  E  V  G  H  U  A  R  A  C  H  E
Z  R  M  B  H  K  I  N  T  U  T  C  C  B  Y
O  G  T  I  I  S  I  D  I  W  I  E  M  I  E
O  F  D  X  G  N  T  L  N  F  P  M  N  V  N
A  E  H  Z  H  E  J  I  M  I  B  T  K  O  F
M  E  L  F  F  U  R  T  C  H  U  W  X  T  Q
S  O  L  A  N  O  I  D  V  K  R  S  Q  Z  P
R  E  T  A  E  B  O  T  O  R  N  N  J  A  O
```

ARDUOUS	HUARACHE	ROTOBEATER
ASPHALT	INDIVIDUAL	SAWFLY
CRISP	KNISH	SCOOP
FARL	LIKENESS	SOLANOID
FINGERLING	MATCHSTICK	TIPBURN
FLOURY	NIBBLE	TRUFFLE
HASH	PAPA	WAFFLE
HAULM	REGIMEN	YAMP

EVENT

```
B V Z C A U S E W N T C F E R
E O F E H T N E M E T I C X E
F X L C E S N I W Y R G R P V
I M P T A J I N N Z L D Q O I
F A I I D Y U N N V O T I S E
T V C S R O B N I O O D W U W
H K K B D Y G A C F V L J R C
A Z N A G A V A R T X E V E Q
F O R T U I T Y L Z U G L E Q
D E V E I R P E R E M R X T D
M S Y X O R A P L U S D E E Y
G N I N E K C I S K X S N I I
S P E L L B I N D E R Y O D L
T L O B R E D N U H T A G N W
D R A C R E D N U D D D G T E
```

AHEAD	FIFTH	PAROXYSM
BOLT	FINISH	REPRIEVE
CAUSE	FORTUITY	REVIEW
DREW	INVOLVED	SICKENING
EXCITEMENT	JUNCTURE	SPELLBINDER
EXPIRY	LESSON	THUNDERBOLT
EXPOSURE	MISDATE	UNDERCARD
EXTRAVAGANZA	NOVELTY	

BOAT

```
B B E K B K C O R A C L E D X
O A A L O O C R L K C X J A A
A K L T B O A O U I T W H Y T
T P R L E A H T H I A H Q S R
I E I A A A T T L C S M G A S
E H K H B H U A A E B E H I A
R R S C S E O G O O S Q R L R
S A O I A N D O D B B S W O D
P Y T C K P A S S E N G E R I
A O P I K A W M S A I L E R N
N V U H N E R Y S Y J V F W I
K N F K F G R Q Z M B L I X E
S C A P H O I D I G L T P M R
G N I R P S Q E Q T W E F H Z
W A T C H B O A T K R I H A T
```

BALLAHOO	DAYSAILOR	ROCKER
BATEAU	DEBARK	SAILER
BOATABLE	HELMSMANSHIP	SARDINIER
BOATHOOK	MAIL	SCAPHOID
BOATIE	PACKET	SPANK
BOATLESS	PASSENGER	SPRING
CHOCK	RAKISH	WATCHBOAT
CORACLE	RATING	
CRUISER	RIGHT	

WOLF

```
L  E  H  S  I  F  T  A  C  E  H  L  S  W  Z
Y  L  N  S  U  P  U  L  O  Y  U  O  O  O  O
C  D  E  I  E  K  A  R  N  S  N  N  L  L  Q
O  J  I  D  N  N  L  E  T  E  T  E  I  V  S
S  Q  A  G  N  A  I  Q  I  L  E  N  T  E  B
A  R  U  C  I  E  C  P  N  L  R  E  A  S  O
E  E  A  I  K  T  R  X  U  L  J  G  R  I  J
I  T  L  V  C  A  I  B  A  L  F  E  Y  E  F
Y  B  A  T  E  K  L  G  L  W  O  L  V  E  W
R  J  B  L  T  N  L  V  R  H  Y  O  M  S  X
C  E  S  A  U  I  I  Y  Q  A  Z  X  Q  S  Q
L  P  V  I  Y  L  H  N  D  G  D  A  X  J  Q
O  A  Z  D  I  Q  U  W  G  I  K  E  G  P  P
U  N  N  A  T  U  R  A  L  L  Y  P  B  J  S
W  I  T  H  S  T  A  N  D  F  K  D  R  A  J
```

CANINE	LONE	UNNATURALLY
CATFISH	LUPINE	WERE
CONTINUAL	LUPUS	WHITTLE
DIGITIGRADE	LYCOSA	WITHSTAND
EYSELL	QUICKLY	WOLVE
FIANTS	RAVENING	WOLVES
HUNT	RENDELL	YABBI
HUNTER	SOLITARY	
JACKAL	ULULATE	

SHIRT

```
P  K  E  S  U  O  L  B  A  S  I  M  A  C  D
U  T  I  L  K  D  V  R  L  P  I  N  D  C  I
N  Y  A  T  K  H  P  A  S  O  E  T  E  R  C
J  N  G  E  A  N  K  W  S  X  U  E  S  M  K
A  W  M  D  H  B  I  N  R  Q  U  S  K  U  Y
B  T  A  G  V  C  N  R  Z  C  C  B  O  T  K
I  K  N  I  L  F  F  U  C  Y  J  D  R  N  T
K  U  R  T  A  T  I  F  T  U  O  F  E  Q  W
T  E  K  C  A  J  R  E  B  M  U  L  V  R  O
E  R  O  F  A  N  I  P  G  E  I  G  E  A  F
L  L  A  F  T  A  R  P  K  J  E  C  A  V  E
P  S  Y  C  H  E  D  E  L  I  C  R  L  K  R
Q  U  A  L  I  T  A  T  I  V  E  E  I  Y  W
S  L  E  E  V  E  L  E  S  S  C  I  N  O  D
K  C  E  N  E  L  T  R  U  T  J  D  G  A  S
```

BATIK	DICKY	PSYCHEDELIC
BLOUSE	KEEP	PUNJABI
BLOUSON	KURTA	QUALITATIVE
BRAWN	KUSTI	REVEALING
CAMISA	LUMBERJACKET	SLEEVELESS
CHEAT	OUTFIT	SOIREE
CRINKLE	PINAFORE	TURTLENECK
CUFFLINK	PRATFALL	TWOFER

PACIFIC

```
A A C H I L E P K W Q D R S S
J R I S T J E V O I U I A E U
T A U N U H I E D L I C R W R
N I L T R L Y F I L L A O E M
S O R I N O I K A O L M T L U
L U T A S E F G K W F P O L L
Q I N S Y C V I A S I T N E L
H W G A R A O A L M S O G L E
M P W M R E N T N A H D A W T
V S C A T R M K U E C O N T O
H S A W I S E L O B U N G Y P
D O C M O T Y S A O I B B D Z
G E N T L E A H Z P N L C Z W
G N O R A S C K J J R S A D V
V H A R L E Q U I N P L Y H B
```

BUENAVENTURA	KODIAK	SEWELLEL
CALIFORNIA	MAGILUS	SIWASH
CHILE	NAYARIT	SNOOK
DICAMPTODON	PALMERSTON	SURMULLET
FIJI	QUILLFISH	TOMCOD
GENTLE	RAROTONGAN	WAITAKI
HALIBUT	SARONG	WILLOW
HARLEQUIN	SCAT	
JALISCO	SERRANUS	

WILD

```
B  S  U  O  R  A  B  R  A  B  D  R  A  N  K
Y  A  H  S  U  R  B  K  C  U  B  F  H  R  F
N  R  C  K  L  A  W  H  S  U  B  L  O  E  Y
M  O  R  C  D  E  B  A  U  C  H  A  P  D  S
T  U  I  E  H  O  K  A  L  E  M  G  P  E  O
Z  H  I  L  B  A  M  D  E  F  Z  G  E  L  W
S  E  G  R  E  K  N  E  E  L  R  E  R  E  L
D  U  Q  I  I  D  C  A  S  G  B  R  S  S  Y
S  T  O  O  L  L  N  A  L  T  G  A  L  S  E
V  U  P  R  G  F  E  A  L  I  I  A  P  E  R
G  R  A  Y  L  A  G  D  D  B  A  C  R  O  I
Y  G  A  H  P  O  C  Y  M  L  S  L  A  G  R
Y  C  N  A  P  U  C  C  O  E  R  P  C  T  W
R  E  C  L  A  I  M  S  H  R  I  E  K  G  E
S  E  R  A  G  L  I  O  F  O  J  H  P  B  S
```

BACCHANAL	DOMESTICATE	RAGGED
BACCHANALIA	DRANK	RECLAIM
BARBAROUS	FLAGGER	REDELESS
BLACKBERRY	FLIGHT	ROPABLE
BUCKBRUSH	GRAYLAG	SERAGLIO
BUSHWALK	HOPPER	SHRIEK
DANDELION	KALE	STOOL
DEBAUCH	MYCOPHAGY	
DELIRIUM	PREOCCUPANCY	

FITNESS MOTIVATION

```
A  B  Y  R  E  N  O  I  T  I  D  N  O  C  D
N  Y  E  F  D  T  E  G  D  U  J  P  O  O  R
I  N  C  A  I  E  I  M  Y  T  I  S  E  B  O
M  Z  K  A  T  T  R  S  O  N  I  A  R  T  C
U  I  Y  A  R  E  R  I  I  R  E  O  X  L  Z
S  A  Y  L  F  I  N  E  P  U  A  S  M  V  M
U  N  K  E  E  N  P  T  C  S  Q  L  R  S  E
T  P  I  E  C  E  R  S  Y  V  N  X  I  O  Y
K  S  I  T  I  R  O  I  N  E  S  I  E  T  W
V  H  E  A  V  E  N  H  O  O  D  V  D  F  Y
E  C  N  E  R  E  F  E  R  K  C  A  Y  Z  Y
I  N  T  E  R  N  A  L  I  S  T  J  I  G  Y
L  A  U  X  E  S  O  D  U  E  S  P  Z  L  K
E  T  A  V  I  T  O  M  E  R  F  B  X  M  K
T  R  I  M  M  I  N  G  U  T  I  L  I  T  Y
```

ANIMUS	INTERNALIST	REMOTIVATE
BEATEN	JUDGE	SENIORITIS
CERTIFY	MORALITY	TRAIN
CONDITIONER	OBESITY	TRIMMING
CONSPIRACY	POOR	UNKEEN
EXQUISITE	PSEUDOSEXUAL	UTILITY
HEAVENHOOD	RECEIPT	WORSE
INSPIRED	REFERENCE	

Puzzle #66

SCHOOL

```
A M U E A N E H T A B C P T D
G L I Q X C K N U L F R R R Q
G U S L A E T T D F K E E U Z
I L U O I R A P I O S D S A T
E J M U R T H T O U W I C N K
F L A M E I A C Z N Q T H C I
K H O J A F D R C D Y Z O Y A
T H I R D I T O Y E Q G O Z T
I U R D S C N O I R H W L K B
S I C K B A Y B P R O X E V U
Q Z Q S K T E J Y P E T R Y N
R C N Y S E N I O R E P U X Q
R E G O L O I S Y H P R Z T F
P R I Z E G I V I N G Q H K Q
S C H O O L K E E P E R O F F
```

AGGIE	FOUNDER	SCHOOLKEEPER
ATHENAEUM	KHOJA	SENIOR
BREAK	MILITARY	SICKBAY
CERTIFICATE	PERIOD	THIRD
CREDIT	PHYSIOLOGER	TOPPER
ENDOW	PRESCHOOLER	TRUANCY
EXEAT	PRIZEGIVING	TUTOR
FLAME	QUIT	
FLUNK	ROSLA	

GOLF

```
G  B  U  N  K  E  R  D  W  M  T  F  O  L  P
L  A  H  O  O  P  T  K  I  U  N  E  S  S  U
S  J  W  O  C  S  L  I  D  N  R  S  H  P  L
X  V  X  G  L  C  L  A  N  I  G  C  O  R  L
F  R  I  N  G  E  U  E  Y  I  D  U  O  I  S
Y  R  E  L  L  A  G  P  N  S  F  E  T  N  W
D  A  E  T  S  N  I  T  A  G  H  E  Y  G  I
P  I  L  L  T  T  U  P  U  T  G  A  D  A  P
T  H  R  E  E  S  O  M  E  R  I  O  F  K  E
T  H  G  I  R  P  U  I  L  Z  F  O  J  T  F
W  A  G  G  L  E  B  R  V  I  C  X  N  T  G
K  T  O  V  Z  O  L  O  G  W  K  V  N  T  P
E  G  X  I  J  C  A  I  D  Q  B  K  Q  K  E
E  N  B  U  V  H  I  T  S  H  S  U  M  G  T
A  K  S  C  B  C  C  S  M  C  O  Z  O  M  P
```

BUNKER	LOFT	SHOOT
DEFINITE	MUNI	SPRING
DING	NELSON	SWIPE
FESCUE	OCCUPATION	THREESOME
FRINGE	PILL	TURF
GALLERY	PLAY	UPRIGHT
GWAG	PULL	WAGGLE
HOLE	PUTT	
INSTEAD	SHAFT	

Puzzle #68

GARAGE SALES

```
K D V A P A R T M E N T A D F
O A L U S C R U S P M O C O U
J F Z O M C A E O E R A D W N
Z S F U G O R T T L E O R N C
O U X S M U V E C N O T T T T
P Y K J E N J T W H U C T U I
O I L Y R T R O H S P H U R O
Y X H U U I G A R A G E F N N
Q W T S C N S H A R E X N I A
X N F H R G M A I N T A I N L
L L A T S E R O F P L G U R Y
D I I L K N L E T A T S E R S
I I T I N E R A N C Y M C V E
S E L E C T O R E T G G B A N
G N I B R E V R Z D Y H R Z X
```

ACCOUNTING	FORESTALL	OFFSET
APARTMENT	FUNCTIONAL	OILY
CATCHPENNY	GARAGE	RESTATE
COLOUR	GOLD	SCREW
COMPS	HUNTER	SELECTOR
DARE	ITINERANCY	SHARE
DEALERSHIP	MAINTAIN	SHORT
DOWNTURN	MUZAK	VERBING

72

BUILDING A HOUSE

```
D  G  B  N  B  E  T  C  H  A  N  T  Y  Q  D
W  N  O  R  A  E  L  N  Y  D  E  L  V  O  P
O  M  A  D  C  M  R  T  A  R  N  C  L  A  F
S  K  T  L  H  F  O  M  T  C  E  U  A  A  Y
Y  U  R  U  E  F  I  W  D  O  O  G  O  L  W
D  E  M  O  L  I  S  H  R  K  B  R  G  R  P
R  R  T  M  W  E  Z  E  O  A  R  O  B  O  G
O  O  A  A  E  E  G  R  S  U  H  A  X  G  D
O  A  O  W  M  R  M  A  H  I  S  C  W  N  Z
K  Z  N  D  E  E  H  A  R  A  M  E  D  D  B
E  S  H  Y  T  S  S  O  R  A  R  E  B  P  S
R  K  P  E  J  U  U  U  U  F  C  M  R  O  F
Y  B  G  X  O  L  O  O  O  S  Z  I  U  P  Y
J  X  O  Y  U  G  N  A  H  H  E  M  V  J  S
T  N  E  M  E  L  P  M  I  J  S  P  V  Z  L
```

BACH	FRAMEWORK	PLACE
BERM	GOODWIFE	PREMISES
BOAT	GROUND	ROOKERY
BOTTLE	HOUSEBOY	SUMMERHOUSE
CANT	HOUSEMATE	VICARAGE
CHANTY	HOUSEWARD	WALL
CHARWOMAN	IMPLEMENT	WARK
DEMOLISH	LAND	
DOGGERY	OUTDOOR	

WINE MAKING

```
S  G  R  A  V  E  S  B  O  D  E  G  A  C  G
T  A  V  M  L  C  H  A  R  N  E  C  O  A  E
C  N  L  Z  H  G  W  S  U  G  N  S  T  C  N
C  L  E  E  G  N  I  T  A  O  C  H  A  C  E
M  O  A  M  S  Z  N  A  D  B  V  E  N  I  R
M  U  O  R  R  S  O  R  R  L  T  R  N  A  O
E  X  T  L  E  E  A  D  X  E  L  R  I  T  U
N  Z  J  E  E  T  T  H  G  T  O  Y  N  O  S
R  H  Y  M  E  R  Y  T  C  N  V  O  G  R  G
D  U  A  H  C  A  R  P  E  T  I  N  G  E  J
G  U  E  S  S  W  O  R  K  B  P  T  M  E  C
L  I  B  A  T  I  O  N  U  P  M  W  A  E  F
M  U  S  C  A  D  E  L  M  V  A  Z  C  E  C
O  E  N  O  P  H  I  L  I  S  T  O  Z  M  S
C  I  F  I  T  N  E  S  E  R  P  O  Q  Y  U
```

BASTARD	COATING	MUTE
BETTERMENT	COOLER	OENOPHILIST
BODEGA	GENEROUS	PRESENTIFIC
CACCIATORE	GOBLET	RHYMERY
CARPETING	GRAVES	SEATING
CHARNECO	GUESSWORK	SHERRY
CHASSELAS	LIBATION	TANNING
CLARET	MUSCADEL	WINO

CARTOON

```
E A N T A G O N I Z E B E E I
B Y A N V I L B A T M A N P R
H E E D E F L E C T G C D U A
D S M P E S I P S E D K Q R T
M A I U O D O R K T T P J E E
X B K N S P E D K O D A X S L
E L G O O E L R F P T C R P H
Q T Q K Z O D G I I B K G I M
E P O C S O T O R T Q B S M P
P E N L G E R R Y M A N D E R
E I L L U M I N A T I O N S X
E C I P I C E R P C B P V M R
P A S Q U I N A D E Q O J R X
S C A B R O U S P V L G V O I
S E N T E N T I O U S W E N Y
```

ANTAGONIZE	DORK	PIRATE
ANVIL	DOSE	POPEYE
BACKPACK	EPURE	PRECIPICE
BATMAN	GERRYMANDER	ROTOSCOPE
BEMUSED	ILLUMINATION	SCABROUS
CARTOONISH	IRATE	SENTENTIOUS
DEFLECT	OGLE	TIRED
DESPISE	PASQUINADE	

MAKING WINE

```
M A R C S O A V E L T T O P Q
G G C E T S A T R E T F A L I
Y N N T C O M M E R C I A L O
G R I I I F E C A R M S Z N V
S N O M T V R L I E R A U Q S
Y I I T O N A I L F O R P W V
R E L S A O U T Z A I N T R I
A W T E S S B B I Z T B I O N
C J U I N A N B L O A S U V I
U X L H H T R E S C N N W R F
S I U Q M W L R P Y D F T W Y
E L I T X E T Y A M U C S E S
S T R I D E N T U B O O I G E
S S E L E N U T Y M M C A C E
B J Q R A L U C A N R E P U S
```

ACTIVATION
AFTERTASTE
BOOMING
BUNTING
COMMERCIAL
COMPENSATORY
EMBARRASSING
FRIZZANTE

MARC
POTTLE
RACE
RUBIFIC
SILENTLY
SOAVE
SQUARE
STALL

STRIDENT
SUPERNACULAR
SYRACUSE
TEXTILE
TUNELESS
VINIFY
VINO
WHITE

BEAR

```
L E U M A S A F F O R D I K V
S E L E N A R C T O S C D Q Z
B S R C F H G E H F O S T E R
Y R E E U U S G V U R E F E R
T V E N B T Z R R O R C P A T
I O A A H G O Z A I L C H E
A Z H E S S F V Y H E C I O O
Y K J S H T I V E I V W S K
B L U F T I U R F R Q E E T H
E R U S O N Y C A Z B E X I Q
K C O L M E H Q H E K E O L P
I M P L I C A T E L B S N E V
M A G N A N I M I T Y W N A G
D E V E I L E R O S Z M B U P
S A X I F R A G E X Y I K J B
```

AFFORD
AGGRIEVE
BEARISHNESS
BERE
BREAST
CHURLISH
CLOVER
CUTOVER
CYNOSURE

FOSTER
FRUITFUL
FUZZY
HARSH
HEAVY
HEMLOCK
HOSTILE
IMPLICATE
MAGNANIMITY

REFER
RELIEVED
SAMUEL
SAXIFRAGE
SELENARCTOS
SHOT
VERBENA

ELEPHANT

```
N  A  I  P  O  I  H  T  E  M  O  A  W  J  H
S  T  I  B  A  H  O  C  S  E  O  H  S  T  A
L  O  Y  E  L  E  P  H  A  N  T  I  N  E  R
E  A  R  O  B  M  U  J  L  O  O  P  O  V  E
V  D  C  I  H  S  F  F  O  T  R  P  L  U  M
X  W  I  E  C  T  E  P  H  Y  T  O  I  V  S
Q  F  Q  R  F  I  O  A  Z  P  O  P  P  U  O
T  U  O  H  A  M  D  M  L  H  I  O  H  Z  X
I  V  O  R  I  E  S  A  M  L  S  T  A  E  O
K  O  O  M  K  I  E  H  E  A  E  A  N  L  Z
E  D  A  R  G  I  V  A  R  G  M  M  T  A  J
M  R  E  D  Y  H  C  A  P  K  R  U  W  S  Y
Y  R  T  N  A  E  G  A  P  R  S  S  C  N  W
E  L  B  A  L  L  Y  S  G  D  J  U  F  Y  L
N  I  P  A  R  R  E  T  E  W  H  I  T  E  H
```

COHABIT	KOOMKIE	SORICIDAE
ELEPHANTINE	MAHOUT	SYLLABLE
ETHIOPIAN	MAMMOTH	TERRAPIN
FECAL	MENOTYPHLA	TORTOISE
GRAVIGRADE	OLIPHANT	TUSK
HAREM	PACHYDERM	VUVUZELA
HIPPOPOTAMUS	PAGEANTRY	WHITE
IVORIES	RIDE	
JUMBO	SEAL	

SMARTPHONE

```
S  P  N  E  S  A  E  P  P  A  V  L  G  D  S
G  E  F  J  S  L  B  R  A  I  N  Y  N  O  M
P  N  V  E  B  O  R  E  P  P  I  L  C  L  I
T  I  I  A  L  O  P  S  T  Y  T  E  H  T  R
T  E  L  T  W  F  G  M  S  U  A  X  S  T  K
E  C  S  L  I  R  I  N  O  E  N  P  E  I  Z
S  N  E  D  I  B  I  E  I  C  N  I  E  S  W
R  T  O  L  N  F  X  A  J  G  E  T  M  R  B
S  E  U  H  L  A  V  E  G  D  A  D  A  L  P
N  R  T  S  P  E  H  Q  L  D  B  S  R  E  B
E  X  H  S  H  Y  T  P  L  E  E  R  S  U  N
D  Q  X  J  I  E  A  N  T  R  T  W  F  E  H
Q  J  U  E  S  G  C  P  I  A  F  H  T  H  M
I  N  T  E  L  L  E  C  T  U  A  L  I  S  T
S  M  A  R  T  L  Y  R  L  T  E  N  C  Z  E
```

AIRWAVES	FILLIP	REGISTER
ALOOF	HANDSET	SEXT
APPEASE	INTELLECT	SMARTLY
BITING	INTELLECTUAL	SMIRK
BRAINY	MESSAGING	STUSH
CLIPPER	MINUTE	TELEX
DECOMPOSE	NEATNESS	WISE
DOLT	PAYPHONE	
FELFIE	PREPAY	

STAMP COLLECTING

```
D  Q  N  E  G  A  L  E  R  U  B  J  N  N  I
G  N  B  G  A  G  C  E  S  S  P  I  T  Q  M
E  N  A  H  I  I  T  N  U  O  C  S  I  D  P
G  G  I  R  O  S  R  E  L  L  A  F  P  F  R
L  O  U  L  B  T  E  V  A  R  G  O  R  R  I
O  A  V  O  E  L  C  K  R  O  W  G  E  L  N
M  T  B  E  G  G  L  H  P  R  I  E  S  T  T
N  Q  X  E  R  W  N  E  P  N  O  M  S  Y  S
I  D  H  Y  L  N  N  A  W  O  F  Y  U  C  J
B  L  O  O  T  Q  M  H  H  S  T  R  R  S  F
U  L  A  N  O  I  G  E  R  C  M  J  E  N  C
S  K  H  E  A  D  H  U  N  T  I  N  G  N  N
R  E  S  E  A  R  C  H  M  T  H  N  H  B  V
P  R  O  V  I  S  I  O  N  A  L  O  W  E  Z
T  R  A  M  P  L  E  Z  R  V  M  S  X  Q  X
```

AGIST	GRAVE	PROVISIONAL
BRAND	HEADHUNTING	REGIONAL
BURELAGE	HOTCHPOT	RESEARCH
CESSPIT	IMPRINT	SIGN
CHANGELING	LABEL	SWELL
DISCOUNT	LEGWORK	TOOL
FALLER	OMNIBUS	TRAMPLE
GOUGE	PRESSURE	
GOVERNMENT	PRIEST	

WEB DESIGN

```
M  A  E  B  G  A  N  D  E  S  I  G  N  D  K
M  Y  S  A  P  O  T  A  A  Q  J  X  W  E  N
E  C  N  A  G  E  L  E  E  M  E  T  I  L  O
T  V  L  W  I  G  S  B  Y  M  A  B  K  I  W
S  B  M  U  R  C  D  A  E  R  B  S  I  C  I
M  P  S  B  F  M  E  S  H  W  O  R  K  A  N
P  I  E  L  Y  N  U  C  N  L  U  T  S  C  G
A  J  C  L  S  P  G  L  C  A  U  G  S  Y  L
I  C  G  R  I  S  A  I  L  L  E  F  H  I  I
N  S  J  M  O  C  P  G  S  I  G  M  L  E  H
T  I  P  H  V  S  A  P  B  E  X  Q  H  I  P
Z  I  M  X  N  T  C  N  D  D  D  E  G  R  W
L  E  M  M  A  R  G  O  R  P  O  Q  V  S  B
Y  R  T  E  K  C  O  R  P  E  I  C  S  X  H
S  U  N  B  U  R  S  T  U  Y  H  Q  H  Z  L
```

BEAM	GRISAILLE	PAINT
BLOG	HISTORY	PELICAN
BREADCRUMBS	KNOWING	PROGRAMME
DAMASK	MEAN	ROCKETRY
DELICACY	MEANS	SUNBURST
DESIGN	MESHWORK	VEXILLUM
DESIGNFUL	MICROSCOPY	WIKI
ELEGANCE	MYSAP	WILFUL

TREE

```
H  E  A  D  T  A  U  S  U  B  O  D  R  H  R
K  L  P  S  T  F  L  F  O  L  I  A  G  E  I
E  X  P  K  H  U  I  L  P  V  B  D  N  M  N
L  V  L  X  A  E  N  W  A  E  W  D  S  L  G
V  E  E  X  L  U  N  O  S  F  A  O  L  O  N
J  A  R  R  A  H  R  W  C  B  K  C  J  C  B
P  Z  W  U  G  A  G  I  Q  O  J  K  H  K  Q
G  O  Q  K  A  R  I  N  D  J  C  Q  P  E  Z
N  N  X  V  P  L  E  D  O  O  W  N  O  R  I
P  A  I  D  O  O  W  E  N  I  M  S  A  J  X
Z  L  T  N  V  T  S  V  N  X  E  T  I  V  J
L  U  U  U  U  T  R  E  E  L  I  N  E  L  R
B  K  C  M  O  M  H  V  Q  N  V  P  L  Z  W
N  Q  V  H  W  M  A  B  V  C  W  I  D  R  M
S  T  O  V  E  Z  Q  K  U  B  W  N  F  S  K
```

APPLE	HEMLOCK	PLUM
ASHEN	IRONWOOD	RIND
AUSUBO	JARRAH	RING
COCONUT	JASMINEWOOD	SWIFT
DADDOCK	KAMUNING	TREELINE
EVERGREEN	KAURI	VITEX
FALL	LAUREL	ZUCHE
FOLIAGE	MOUTAN	
HEAD	PEACH	

CALENDAR

```
D N O I G O L O N E M Y H K I
I N A I L U M O R T A U O Y N
W R S T E A M J T R A P U S T
A Y E H S D N E L A K B R W E
L N G B E O S E S F W E E K R
I M U O M B P O M S V Z P S C
L F D M L E A M L O I Y I I A
B Z L I E O T T O A G D E D L
E L Y T S R N P Z C R A O E A
Q I E O K K A E E O S Z P R R
C M F A K A S L M S J Q N E Y
C A L E N D R I C A L D L A H
C O O R D I N A T I O N K L S
L A I R I A R P F L V E Y Q U
S I S O T P M E O R P M E K N
```

CALENDRICAL
COMPOST
COORDINATION
DIWALI
EPAGOMENAL
HOUR
INTERCALARY
KALENDS

MENOLOGION
MENOLOGY
MESSIDOR
NUMERAL
PART
PRAIRIAL
PROEMPTOSIS
ROMULIAN

SEBAT
SEPTEMBER
SHEBAT
SIDEREAL
SOLAR
STYLE
WEEK

Puzzle #80

COFFEE

```
O  A  O  T  A  G  O  F  F  A  G  E  N  D  A
B  N  R  C  N  C  O  N  T  I  N  U  O  U  S
E  L  A  I  A  O  E  L  B  U  O  D  A  B  T
D  T  E  C  E  F  N  S  R  T  P  E  R  T  E
G  E  A  N  I  R  E  A  D  E  H  E  Y  A  A
Y  K  T  T  D  R  E  N  C  N  T  G  R  K  S
R  I  N  G  S  R  E  P  E  T  U  A  I  K  P
I  C  C  P  A  E  C  M  V  H  O  O  E  L  O
A  N  E  C  N  A  R  G  A  R  F  H  R  H  O
W  T  F  M  U  S  A  N  G  U  X  E  S  G  N
R  M  S  U  N  O  I  T  A  T  N  A  L  P  O
G  U  S  U  S  D  E  R  E  T  L  I  F  N  U
A  M  B  D  B  I  I  V  K  R  U  M  I  H  Z
M  H  R  O  V  O  O  A  V  B  U  O  J  B  I
N  S  E  D  T  T  R  N  O  Z  O  U  O  E  S
```

AFFOGATO	ESTATE	PERT
AGENDA	FRAGRANCE	PLANTATION
AMERICANO	GROUNDS	RING
BLEND	HEATER	ROBUSTA
CAFENEH	INFUSION	SHOT
CANON	LIGHT	TEASPOON
CONTINUOUS	MUSANG	UNFILTERED
DOUBLE	PEREIRA	
EDGY	PERK	

MONKEY

```
A  D  H  E  R  E  S  C  O  L  O  B  I  N  E
S  Y  A  G  K  P  O  E  H  K  N  I  L  M  G
P  U  E  D  O  S  R  D  L  A  X  E  M  Y  R
U  T  O  K  A  R  U  I  E  E  M  N  E  M  I
N  I  M  I  N  L  I  M  M  X  T  E  G  O  V
C  T  J  T  R  O  E  L  J  A  U  A  C  N  E
H  I  O  G  R  U  D  G  L  L  T  T  Y  K  T
G  U  E  N  O  N  C  U  H  A  C  E  U  E  W
I  K  I  R  I  M  R  O  L  O  W  A  Y  Y  A
P  R  E  H  E  N  S  I  L  E  C  X  W  S  N
P  R  E  S  B  Y  T  E  R  E  P  E  E  W  D
R  E  L  I  N  Q  U  I  S  H  V  S  M  G  E
Z  E  P  H  Y  R  B  V  K  Y  P  M  H  E  R
L  S  U  X  Y  G  K  U  G  S  H  H  V  N  O
D  D  G  T  H  K  I  A  T  S  M  Q  Z  H  O
```

ADHERE	GUENON	RELINQUISH
ATELES	LINK	ROLOWAY
CHAMECK	MIRIKI	TITI
COLOBINE	MONKEYS	TUXEDO
CURIOUS	MUSK	WANDEROO
DONKEY	PREHENSILE	WEEPER
GELADA	PRESBYTER	ZEPHYR
GORILLA	PRIMATE	
GRIVET	PUNCH	

ANTI AGING

```
A  A  K  E  B  T  F  O  O  T  A  J  N  A  G
D  K  K  R  T  N  E  P  I  R  J  A  U  N  A
E  J  Q  D  F  A  S  C  I  S  T  Y  R  T  R
X  M  U  A  K  U  G  J  O  R  V  H  E  I  R
D  I  C  A  T  N  A  N  F  X  G  A  M  P  I
M  O  N  A  R  C  H  I  A  N  E  W  B  Y  S
Y  D  O  B  I  T  N  A  L  R  J  K  E  R  O
R  E  K  R  A  M  O  I  B  X  I  E  R  E  N
C  O  N  S  I  G  N  M  E  N  T  R  G  T  L
B  E  N  Z  A  L  D  O  X  I  M  E  P  I  A
C  I  T  A  R  C  O  M  E  D  D  R  U  C  P
E  N  F  E  E  B  L  E  K  D  S  I  N  I  S
N  E  C  R  O  B  I  O  S  I  S  P  K  Y  E
P  A  C  I  F  I  S  T  W  F  R  E  Y  O  D
K  R  A  U  Q  A  T  N  E  P  R  S  M  Y  G
```

ANTACID	ENFEEBLE	MONARCHIAN
ANTIBODY	EXOCET	NECROBIOSIS
ANTIPYRETIC	FASCIST	NUREMBERG
BEKAA	FOOT	PACIFIST
BENZALDOXIME	GARRISON	PENTAQUARK
BIOMARKER	IRANGATE	PUNK
CONSIGNMENT	JAYHAWKER	RIPE
DEMOCRATIC	LAPSE	RIPEN

GERMAN SHEPHERD

```
K  R  E  N  H  C  U  B  N  N  A  W  H  C  S
E  C  T  E  L  H  C  I  R  I  D  N  E  Y  U
B  D  R  U  R  D  A  S  W  I  S  S  G  I  M
U  M  E  A  Q  E  O  R  T  X  E  T  E  D  L
U  A  A  H  M  M  T  J  N  E  L  W  L  D  A
G  R  R  L  C  S  A  A  O  A  I  G  I  I  U
C  H  J  F  L  S  I  R  C  O  C  N  A  S  T
A  L  A  V  R  S  N  B  C  A  K  K  N  H  Q
O  N  N  I  R  G  N  E  H  O  L  C  U  B  L
L  U  F  T  W  A  F  F  E  K  B  V  U  N  N
Z  U  E  R  K  R  E  T  T  I  R  R  Q  C  V
E  K  H  C  S  T  I  E  R  T  Q  L  U  G  O
C  I  H  P  R  O  M  O  T  U  A  W  I  N  D
L  A  I  T  N  E  T  S  I  X  E  C  H  X  N
S  A  U  E  R  K  R  A  U  T  I  Q  U  I  B
```

ACATER	HARNACK	SCHWANN
AUTOMORPHIC	HEGELIAN	STEIN
BISMARCK	JODL	SWISS
BUCHNER	LAMB	TEXT
CUCKOO	LOHENGRIN	TREITSCHKE
DIRICHLET	LUFTWAFFE	UMLAUT
ENSCHEDE	MARCOBRUNN	YIDDISH
EXISTENTIAL	RITTERKREUZ	
FRAU	SAUERKRAUT	

HOLIDAY

```
H  K  C  O  R  N  D  H  O  L  S  B  C  X  V
C  A  M  P  E  R  O  R  A  L  E  E  A  C  A
Z  Q  K  H  L  T  L  I  A  I  O  A  T  A  L
N  D  P  K  O  A  A  A  S  C  I  C  T  L  E
T  Z  F  P  U  L  I  R  T  N  A  H  E  F  N
M  U  C  O  L  N  N  R  B  S  E  Y  R  C  T
Y  G  N  I  P  M  A  C  E  E  E  C  Y  E  I
E  C  R  E  O  C  P  H  E  F  L  F  S  L  N
N  O  I  T  A  C  Y  A  D  D  Z  E  R  A  E
O  V  E  R  B  O  O  K  R  C  A  P  C  M  A
A  R  E  I  V  I  R  G  X  T  T  R  X  E  Z
E  D  I  S  A  E  S  C  K  G  A  W  A  W  V
Y  A  D  I  L  O  H  T  S  O  P  K  L  P  M
G  N  I  E  E  S  T  H  G  I  S  U  E  A  K
T  O  U  R  I  S  T  Y  A  D  Y  K  R  O  W
```

ASCENSION	FERIAL	RIVIERA
BEACHY	FESTAL	ROCK
CAMPER	HANUKKAH	SEASIDE
CAMPING	HOLS	SIGHTSEEING
CARD	LOCUM	TOURIST
CATTERY	OVERBOOK	VALENTINE
CELEBRATE	PARADE	WORKYDAY
COERCE	PARTAKE	
DAYCATION	POSTHOLIDAY	

SUMMER

```
B  A  L  D  E  R  N  A  M  A  D  A  V  A  T
C  A  L  A  I  T  D  O  B  L  A  N  D  I  E
O  R  D  M  N  S  A  N  S  Q  U  E  N  C  H
M  D  O  M  I  I  C  L  A  E  R  Y  P  M  E
E  H  R  P  I  S  R  O  D  H  G  R  O  L  L
T  L  O  A  X  N  I  I  L  R  M  R  A  H  G
U  O  B  M  O  W  T  T  U  O  A  R  A  C  E
P  C  M  A  E  B  F  O  I  Q  R  C  A  S  Y
I  F  S  K  H  S  E  K  N  T  K  S  A  F  E
K  K  P  G  X  G  I  R  Q  Y  S  Z  R  L  K
L  A  T  N  E  R  U  C  I  G  H  A  L  P  P
M  Q  B  E  G  Q  A  A  K  F  Y  M  M  U  A
M  O  S  Q  U  I  T  O  L  Y  M  D  B  S  I
K  C  E  N  T  H  G  I  A  R  T  S  H  C  T
W  O  L  L  A  F  Y  R  H  T  Y  G  B  G  K
```

AMADAVAT	FIREBOARD	RENTAL
BADMINTON	HOMESICK	ROLL
BALDER	LATE	SARGESON
BLAND	LAUGHABLE	SIMLA
COME	MASTITIS	STRAIGHTNECK
CROP	MOSQUITO	THRYFALLOW
DISCOLOR	PLACARD	TUPIK
EMPYREAL	QUENCH	
FARMHAND	QUIRINAL	

WINE

```
B   A   C   C   H   A   N   A   L   I   A   D   T   E   S
M   Z   G   A   L   A   S   R   A   M   K   I   R   X   U
C   O   D   E   U   G   N   A   L   P   F   O   E   P   P
D   R   A   C   N   Z   A   R   I   H   S   N   B   A   E
H   S   U   L   B   A   B   R   A   N   D   Y   B   N   R
E   C   Y   P   T   H   G   Y   I   B   N   S   I   S   N
T   R   A   A   S   E   O   R   T   Q   C   U   A   I   A
A   J   O   V   N   I   M   C   A   R   L   S   N   V   C
Z   Q   B   T   A   N   R   U   K   G   O   L   O   E   U
Z   P   Q   Y   A   R   O   C   F   A   P   P   F   G   L
A   W   W   I   M   I   C   D   R   S   M   K   N   S   A
Y   E   N   M   U   R   C   A   R   Y   K   O   A   D   R
N   O   O   G   N   A   L   C   M   A   X   W   R   T   G
N   O   I   T   A   L   B   O   A   O   H   I   M   E   X
S   I   L   L   A   B   U   B   P   C   Y   C   V   Y   X
```

BACCHANALIA	DIONYSUS	OBLATION
BLUSH	EXPANSIVE	PORTY
BRANDY	FUMET	RUMNEY
CACCIATORE	GARGANEGA	SHIRAZ
CARD	HOCKAMORE	SILLABUB
CAVA	LANGOON	SUPERNACULAR
CHARDONNAY	LANGUEDOC	TAZZA
CRISP	MARSALA	TREBBIANO

FUNNY

```
B  E  S  T  R  C  D  A  T  E  D  F  I  O  W
Y  F  L  I  N  E  R  R  Y  P  D  J  M  R  A
K  P  U  T  E  I  K  A  I  R  B  O  P  G  C
G  J  P  N  U  F  K  R  C  L  I  R  R  A  K
L  A  C  I  N  O  R  I  O  K  Y  D  O  N  Y
U  G  J  Q  D  Y  K  L  T  C  E  L  V  I  Y
M  O  C  T  I  S  M  C  F  S  T  R  I  Z  K
K  I  L  L  I  N  G  A  O  T  C  B  S  E  O
L  I  M  E  R  I  C  K  N  N  O  H  E  D  U
H  C  T  E  K  S  B  T  K  Z  K  R  B  T  U
E  L  B  A  R  U  S  A  E  L  P  F  A  E  X
Y  N  N  U  F  N  U  W  G  U  M  E  X  S  Z
L  A  C  I  S  M  I  H  W  A  A  H  M  H  R
W  I  S  E  C  R  A  C  K  S  H  B  Q  H  F
E  C  X  C  K  E  U  D  Q  H  K  K  F  D  E
```

BEST	IMPROVISE	ROTFL
CORKER	IRONICAL	SITCOM
CRACKER	KILLING	SKETCH
DATED	KITSCH	UNFUNNY
DIPPY	KNOCKOUT	WACKY
DRILY	LIMERICK	WHIMSICAL
FJORD	LINE	WISECRACK
FUNNY	ORGANIZED	
FUNNYMAN	PLEASURABLE	

HEALTHY SNACKS

```
C  M  U  I  C  L  A  C  B  U  R  E  H  C  G
Y  I  G  E  H  H  Y  K  C  I  D  S  Y  R  A
L  S  L  N  T  S  O  D  N  Z  T  L  D  O  M
P  O  P  O  I  A  U  W  R  O  W  D  R  U  E
Y  R  O  E  H  L  D  L  P  A  S  D  A  T  L
S  R  U  K  L  O  I  I  F  G  H  H  T  E  Y
X  J  B  N  I  A  C  A  R  O  T  T  E  N  S
W  E  L  L  E  I  T  L  F  O  D  Z  X  R  V
A  R  T  S  E  L  O  A  A  J  U  D  V  I  G
E  M  O  S  E  L  A  H  C  V  F  L  L  A  U
M  I  C  R  O  F  L  O  R  A  P  C  F  C  S
E  L  I  T  R  A  U  Q  Y  N  W  A  R  C  S
E  N  I  M  A  I  H  T  Z  M  A  P  F  B  N
E  M  O  S  E  L  O  H  W  C  T  S  H  G  L
I  R  X  E  W  Y  A  L  P  D  N  A  P  W  P
```

ALCOHOLIC	FLUSH	PRUNE
CALCIUM	GAMELY	QUARTILE
CATALEPSY	HALESOME	ROTTEN
CHERUB	HARDY	SCRAWNY
CHOW	HYDRATE	THIAMINE
CROUTE	LOOK	WELL
DICKY	MICROFLORA	WHOLESOME
FAILING	NOSHER	
FLUORIDATE	OLESTRA	

Puzzle #89

FISH

```
R  E  L  G  N  A  B  C  A  T  C  H  Z  K  D
C  E  D  C  O  C  H  L  I  O  D  O  N  T  R
D  R  B  L  G  U  E  N  A  H  A  V  N  H  A
N  I  A  R  O  A  R  R  G  Y  S  Z  J  E  F
P  A  P  B  A  K  M  N  G  E  Y  A  H  R  T
U  T  L  N  Y  B  C  E  E  A  G  C  D  R  V
F  S  U  A  E  T  E  U  F  T  E  E  M  I  M
F  G  B  J  H  U  J  S  C  I  T  M  C  N  W
E  V  Y  E  R  P  S  O  H  G  S  O  W  G  I
R  V  O  M  C  F  E  T  R  H  N  H  H  H  N
S  U  O  R  O  V  I  C  S  I  P  I  S  S  U
E  R  I  U  Q  S  U  P  O  C  U  C  S  J  X
J  A  I  S  I  N  E  I  L  L  O  M  R  I  Q
S  P  E  A  R  F  I  S  H  Z  O  I  O  U  R
E  K  I  R  T  S  X  F  W  S  X  H  F  A  V
```

ANGLER	DRAFT	PISCIVOROUS
BARBER	GAMEFISH	PUFFER
BLAY	GOURNET	RISING
CATCH	HERRING	SHOTTEN
COCHLIODONT	HOLOCEPHALAN	SPEARFISH
CRAB	MEAGRE	SQUIRE
CUCKOLD	MOLLIENISIA	STRIKE
DASHI	NGEGE	
DIPNEUST	OSPREY	

LOVE POETRY

```
O C O L E R I D G I A N C J K
D C H M I A L C E D D R O N E
I Y O A G G G M H P D F U X R
N V G Q R O R N I F I F P T M
L O S E U I N A I S O C L L Y
O J K N L E T E D K L T E C S
D T N T O E T Y D U A I T B Z
K K Y M C I X R R E S M N O T
K I N D N E S S Y T P A Q E M
U Q D E M Q L N O W E I R L I
T N A I D A R G A O A O M W E
C I T N A M O R E C S O P E O
R E T S E M Y H R N S P J H S
S A R A S W A T I B Z R R H W
S U P P O R T O T Y M X W M Y
```

CHARITY	GRADUS	RADIANT
COLERIDGIAN	KINDNESS	RHYMESTER
COQUETRY	LOSE	ROMANTIC
COUPLET	MAKING	SARASWATI
DECLAIM	MISLINE	SCANSION
DRONE	MOTTO	SEMIPED
ELEGY	NEGLECT	SUPPORT
EPIC	ODIN	
GONE	POETRY	

SHARK

```
S  N  A  E  Y  E  G  I  B  F  I  S  H  V  M
T  U  A  T  C  D  E  L  C  I  T  N  E  D  O
H  N  T  I  T  N  E  H  S  I  F  X  O  F  N
N  A  O  N  C  E  U  M  R  R  N  K  W  R  S
N  O  W  I  O  E  N  O  O  A  O  I  W  P  T
A  P  I  K  C  D  P  T  B  I  M  O  T  Z  E
Q  U  E  T  S  A  O  O  I  S  S  B  T  O  R
K  C  B  W  A  T  R  R  L  V  Q  E  L  W  C
B  E  A  Q  R  N  I  T  E  A  E  L  L  E  H
H  U  M  A  N  T  I  N  S  T  M  L  N  L  M
S  L  A  S  H  E  R  G  K  E  E  D  Y  W  E
D  R  O  L  D  N  A  L  A  A  C  H  U  D  T
R  H  I  N  O  D  O  N  G  M  R  T  B  J  F
H  S  I  K  R  A  H  S  G  X  I  D  U  I  K
S  P  E  A  R  E  Y  E  H  S  I  F  N  U  S
```

ALOPECIAN	FOXFISH	RHINODON
ATTENTIVELY	HAWK	ROOT
BIGEYE	HETERODONTUS	SHARKISH
BOUNCE	HUMANTIN	SLASHER
CESTRACIONT	IMAGINATION	SPEAREYE
DEMOISELLE	LANDLORD	STINKARD
DENTICLE	MONSTER	SUNFISH
FISH	RAMBLE	

KIDS

```
K  C  E  K  D  I  N  K  Y  E  A  R  F  U  L
F  N  O  L  E  D  E  I  Z  N  E  R  F  M  O
R  H  A  T  B  R  O  T  A  I  D  E  M  E  P
I  O  C  P  U  A  L  N  I  P  S  B  R  R  I
S  L  V  T  D  B  T  E  E  Y  Y  U  A  R  N
K  I  O  E  E  V  E  S  S  L  J  S  U  Y  E
B  U  R  O  R  V  M  R  E  S  G  K  C  G  K
T  H  E  N  H  Z  K  R  F  T  A  G  O  F  K
E  E  D  M  H  C  E  G  A  Z  E  P  U  V  W
W  F  E  J  H  V  S  A  P  J  J  D  S  M  E
R  E  L  I  A  N  T  E  L  M  Y  R  P  H  S
U  L  T  I  M  A  T  E  R  O  H  R  R  S  T
Y  H  R  O  Y  B  X  O  K  P  U  E  O  Z  E
S  I  M  U  L  T  A  N  E  O  U  S  U  H  R
T  F  M  P  M  S  Z  D  Y  G  N  C  T  D  N
```

DEBUD	OPINE	SIMULTANEOUS
DETESTABLE	OVERZEALOUS	SMUGGLE
DINKY	PANK	SPIN
EARFUL	PASSEL	SPROUT
FRENZIED	PRESCHOOL	THEN
FRISK	RAUCOUS	ULTIMATE
KVETCH	REBUS	WESTERN
MEDIATOR	REBUT	
MERRY	RELIANT	

FOOTBALL

```
K  G  H  T  M  C  L  E  A  R  E  D  I  W  C
N  C  A  O  N  H  K  C  A  B  K  C  A  R  C
G  O  O  T  M  E  P  C  L  B  P  H  E  K  S
A  N  I  L  E  E  M  R  A  V  O  E  Q  A  N
L  T  E  S  B  R  C  O  O  B  O  A  G  D  A
A  N  O  E  S  N  E  O  F  M  L  D  G  D  P
C  J  B  O  R  U  O  C  M  E  E  L  Y  Q  P
T  A  F  C  H  C  C  I  A  I  L  D  U  I  E
I  N  Y  P  X  S  S  N  T  R  N  B  I  F  R
C  P  E  L  T  E  R  S  O  A  R  G  E  O  P
O  R  E  L  E  A  S  E  K  C  G  E  E  R  S
E  S  R  E  V  E  R  R  X  G  W  E  T  G  T
V  I  S  I  T  O  R  B  I  N  P  N  L  O  Y
Q  G  C  Q  X  G  I  L  E  J  V  J  X  E  A
X  X  S  C  H  O  I  P  Y  Z  G  D  A  T  R
```

BLOCK	HEAD	SHOOT
CHEER	HOMECOMING	SNAPPER
CLEAR	PELTERS	TERRACE
CONCUSSION	POOL	TREBLE
CRACKBACK	PROMEDIOS	VISITOR
FOMENT	RELEASE	WIDE
FULLBACK	RELEGATION	ZEBRA
GALACTICO	REVERSE	
GATE	SCREEN	

MAPS

```
F  H  Y  H  P  A  R  G  O  T  R  A  C  C  K
I  E  Y  N  C  F  R  E  E  B  I  E  O  O  N
L  V  M  D  O  O  Y  R  E  V  I  R  M  P  E
O  E  G  S  R  I  S  H  K  L  N  C  P  Y  E
F  L  N  R  I  A  T  M  P  X  A  U  A  R  B
A  I  B  J  A  H  C  A  O  A  X  C  S  I  O
X  U  W  Z  B  P  P  F  L  G  R  O  S  G  A
N  S  Z  O  N  E  H  R  R  L  R  G  W  H  R
N  A  V  I  G  A  T  I  O  N  O  A  O  T  D
L  A  C  I  T  U  A  N  C  M  Z  C  P  R  E
K  O  O  B  E  D  I  U  G  A  O  N  V  H  O
P  A  N  T  O  G  R  A  P  H  C  D  O  H  Y
P  A  M  O  T  O  H  P  X  U  T  Y  N  L  G
P  R  E  D  I  C  T  I  O  N  H  S  N  E  M
R  O  Y  E  V  R  U  S  S  H  I  G  C  V  O
```

CARTOGRAPHY	GRAPHICACY	PANTOGRAPH
COLLATION	GUIDEBOOK	PHOTOMAP
COMPASS	HEVELIUS	PREDICTION
COPYRIGHT	HYDRA	RIVER
COSMOGRAPHY	KNEEBOARD	SCALE
ENDOMORPHISM	NAUTICAL	SURVEYOR
FILOFAX	NAVIGATION	ZONE
FREEBIE	OROGRAPHY	

POLICE

```
P  Q  U  E  S  T  U  R  A  C  O  U  G  H  T
A  S  R  D  E  A  D  D  H  A  H  G  S  J  W
Q  C  N  E  R  M  M  R  I  R  D  A  Y  F  O
M  P  C  I  P  A  R  S  C  A  U  T  R  Y  C
V  C  U  E  I  P  L  A  R  B  R  Z  R  G  O
C  G  I  E  S  I  O  U  D  I  H  T  A  L  E
X  A  S  T  N  S  N  C  C  N  C  B  E  O  S
M  R  O  F  N  I  O  T  S  I  E  R  S  C  Q
K  E  T  T  L  E  L  R  E  E  T  G  S  K  U
E  R  U  C  E  S  N  I  Y  R  A  R  G  U  A
D  A  E  H  T  A  E  M  U  E  V  N  A  P  D
E  R  I  A  S  S  I  M  M  O  C  I  P  P  D
S  R  E  T  R  A  U  Q  D  A  E  H  E  H  E
D  E  Z  I  R  A  T  I  L  I  M  W  O  W  R
S  U  R  R  O  U  N  D  Y  F  E  T  G  A  O
```

ACCESSORY	INFORM	PARTICULAR
CARABINIERE	INSECURE	PSNI
CHARGE	INTERVIEW	QUESTURA
COMMISSAIRE	KETTLE	RAID
COPPER	LATHI	SQUADDER
COUGH	LINEUP	SURROUND
DEAD	LOCKUP	TWOC
GENDARME	MEATHEAD	
HEADQUARTERS	MILITARIZED	

QUIT SMOKING

```
N  W  O  L  L  A  E  B  E  K  C  U  R  E  D
B  O  T  H  E  T  N  R  A  T  L  S  G  E  I
S  A  I  E  C  L  I  O  A  C  O  A  C  R  V
M  V  R  T  M  U  T  B  S  W  C  L  H  Z  A
O  B  H  B  C  U  A  T  A  A  A  Y  B  C  N
K  T  O  A  E  I  L  B  O  H  E  C  N  Q  Y
E  X  L  J  X  C  D  A  E  D  R  S  P  F  Q
E  C  I  T  O  N  U  D  C  D  O  P  F  J  T
E  K  A  S  R  O  F  E  A  E  V  L  E  H  S
C  O  R  R  E  L  A  T  I  O  N  P  G  N  T
L  E  U  K  O  P  L  A  K  I  A  X  G  H  R
H  S  I  U  Q  N  I  L  E  R  F  T  V  A  I
S  M  O  K  E  S  T  A  N  D  E  W  N  X  K
N  O  E  G  D  I  W  Y  C  K  W  X  D  U  E
W  I  L  L  P  O  W  E  R  M  D  G  O  D  C
```

ADDICTION	CURE	SEASON
ALLOW	DEBAUCH	SHELVE
AWARE	DIVAN	SMOKE
BACCY	DOTTLE	SMOKESTAND
BARBECUE	FORSAKE	STRIKE
BLOTE	HABIT	WIDGEON
CALUMET	LEUKOPLAKIA	WILLPOWER
CHALK	NOTICE	
CORRELATION	RELINQUISH	

WOMEN

```
B H L A N O I T A T S E G B L
U S S M Y I D N I K Y D A L O
S M C A O R M G C P Y H R N Z
K A I I G P O M Z U V C H I E
I N U A R Y L I I J B X X G N
N T I J K T R A R W Y U F H G
L E T A N K A N H P Y T S E E
X E G N I L L I K Y D A L D H
A L N U B I L E N V Y R F R E
E T O G N I D E R Y N C G E I
S C I R T E T S B O G D R S T
M U L I E R O S I T Y X E S S
T E H I N N A H T O A S T E R
E E P O L L O R T V I R T U E
U N F E M I N I N E N W C S R
```

BUSKIN	MANTEEL	TANKA
GASH	MOPLAH	TEHINNAH
GESTATIONAL	MULIEROSITY	TOASTER
GYNIATRICS	NIGHTDRESS	TROLLOPEE
INCUBUS	NUBILE	UMIAK
LADYKILLING	OBSTETRICS	UNFEMININE
LADYKIND	PRIORY	VIRTUE
LOZENGE	REDINGOTE	WIMMIN

AIRPORT

```
C  G  K  E  N  N  E  D  Y  A  I  R  W  A  Y
R  A  S  I  A  S  P  H  A  L  T  B  R  U  C
O  T  N  T  V  C  M  O  O  R  K  C  E  H  C
Y  W  E  N  A  A  H  R  E  D  N  A  G  T  R
D  I  D  C  O  N  L  A  G  L  I  T  C  H  V
O  C  P  N  A  U  S  F  N  P  U  K  C  I  P
N  K  P  O  U  R  N  T  E  N  T  R  O  P  Y
G  N  C  R  P  O  G  C  E  K  E  Y  R  G  E
F  E  V  A  O  U  B  P  E  D  L  L  U  J  K
M  T  Q  B  T  D  L  N  R  E  S  U  L  T  G
H  C  R  A  E  S  U  O  I  S  K  Y  C  A  P
Y  E  L  L  O  R  T  C  U  W  E  I  G  H  T
F  E  T  L  I  U  W  Q  E  S  N  O  O  A  Q
O  C  K  J  Y  A  U  I  B  X  W  Z  B  U  H
G  P  K  X  R  K  Q  R  E  G  Z  S  N  V  B
```

AIRWAY	GLITCH	RESULT
ANNOUNCE	GRACE	SEARCH
ASPHALT	INBOUND	SKYCAP
CHANNEL	KEFLAVIK	STACK
CHECKROOM	KENNEDY	STANSTED
CROYDON	PICKUP	TROLLEY
CURB	POPULOUS	WEIGH
GANDER	PORT	
GATWICK	PRODUCE	

SALAD

```
T E A Y V O H C N A E H C A M
C E T M A L O B M A R A C D I
E A N A B P G E M U L S I O N
H G R R U R O N E C U T T E L
E D R R U T O L I D A L A S R
R N R A O B N S L S W E Y I E
B S I A H T Y E I O S A O A F
I A K O H C I W C A D E L F I
V L O T D S R H Y C X L R S N
O L M T R E M O U L A D E D E
R E E M E S C L U N O W Q B M
E T O R A Z P A T H O G E N E
G I L C R O V N M S M W H L N
A N A F A O H E L U O B B A T
W G J C O T S X X W T V Q P O
```

ACCENTUATE	EMULSION	SALAD
AMBROSIA	HERBIVORE	SALLETING
ANCHOVY	LETTUCE	SHARD
BURNET	MACEDOINE	SLAW
CARAMBOLA	MACHE	SORREL
CARROT	MESCLUN	TABBOULEH
CHARGE	PATHOGEN	TACO
DOLLOP	REFINEMENT	
DRESSING	REMOULADE	

TELEVISION

```
V  A  N  I  M  E  C  A  T  C  H  Y  P  J  D
T  T  X  D  F  R  L  E  T  N  D  S  O  V  I
Y  G  A  O  R  O  E  B  K  P  E  T  I  G  D
A  R  E  M  B  A  R  F  A  A  M  M  L  D  D
L  A  I  C  R  E  M  M  O  C  M  O  M  I  L
F  R  O  S  T  T  L  A  A  O  V  I  R  O  E
G  R  A  P  H  I  C  G  Z  T  D  J  O  P  C
N  E  E  R  C  S  X  Q  G  P  O  F  B  R  T
E  L  A  I  C  R  E  M  R  O  F  N  I  O  E
N  E  W  S  C  A  S  T  E  R  G  L  B  G  L
Y  R  E  P  R  O  D  U  C  E  L  N  M  R  L
E  A  N  O  I  T  U  L  O  S  E  R  R  A  Y
O  W  L  S  C  R  E  E  N  I  N  G  G  M  N
W  G  L  E  N  P  Y  N  Y  C  Q  X  Y  M  Q
P  Y  E  D  R  Q  U  E  U  L  V  C  O  E  Z
```

ANIME	FORMAT	PROMPT
CABLE	FROST	RELAY
CATCHY	GOGGLEBOX	REPRODUCE
COMMENT	GRAPHIC	RESOLUTION
COMMERCIAL	INFORMERCIAL	SCREEN
DIDDLE	MAKE	SCREENING
DISH	MATV	TELLY
DOOFER	NEWSCASTER	
DRAMA	PROGRAMME	

Part 1 - Solutions

OFFICE
Puzzle # 1

```
C H A P R A S I   T F I L E N
P O E I R E G R E I C N O C A
N I M C N E L B A T C E L E V
M O H M Y C N S T E M P J   A
T A I S I C U O C       E R
H   I T R S L M I E       C
R   L A E S O B T P       H
O     E N A S E A T       Y
N       R E R T N L E
E       C V I Y T B R
I N S I G N I A   N A L   O
P I H S E T A G E L O T E
R E C T O R A T E     C
T A I R A T E R C E S
S E R A S K I E R A T E
```

GARDEN
Puzzle # 2

```
G E T H S E M A N E B C A N E
C H N P   U F L A T   L I O S
O   C I E   G D A I G G O L
N W   T P C E A R T H Y S O
S E   A L N   R A     L   M
E   P F   P A O   A Y   U
R A E A R I P S C   P L G
V A R E D E H S T A F S I
A   G       V       A A
T   O D E B R E W O L F   Z K
O   L       F         I
R G A R D E N I A       N
Y E P A C S D N A L     N
H C A N I P S U N D I A L I
R E E T N U L O V       A
```

GRADUATE
Puzzle # 3

```
S G A C G R A D U A T I N G C
C U M R E T S A M H O N O R A
O A N A T S I M A H E K Y W L
L D M M T E S R U O C E F P I
L G O O U E E R C E D R E R B
E Y R C L L       T S L O R
G E   A T P A     H T L S A
E A   D O I       R W O P T
  R   U R D       E H W E I
      A A         S I   C O
      N T         H L   T N
L I N G U I S T D E O E
G Y M N A S I A S T L
R O T C U R T S N I D
P R O F E S S O R
```

CLASSROOM
Puzzle # 4

```
E P       B A I N T E R N M
C V I Y E G   R P       O I
S O O H T Z L R A A     S C
K S U R S I I O   V P   C R
H C E R P R X G W   A E   I O
  O A N S P O A R E   D R T C
Y M M B E E A T L E R   O A O
  L A E H V W E A A N I   N S
    E I W S I A R T I E N T M
      R N O A S R A C L   G I
        U T R L U E U I A   C
        P A K F F   C D E
D E T C E F N I     F   O   R
G N I N R A E L N     E   U
N E T R A G R E D N I K     S
```

HISTORY
Puzzle # 5

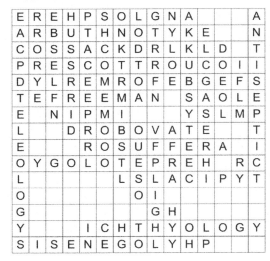

```
E R E H P S O L G N A       A
A R B U T H N O T Y K E     N
C O S S A C K D R L K L D   T
P R E S C O T T R O U C O I I
D Y L R E M R O F E B G E F S
T E F R E E M A N   S A O L E
E   N I P M I       Y S L M P
L   D R O B O V A T E     T
E   R O S U F F E R A     I
O Y G O L O T E P R E H   R C
L         L S L A C I P Y T
O         O I
G         G H
Y     I C H T H Y O L O G Y
S I S E N E G O L Y H P
```

TRUCK
Puzzle # 6

```
G D R E T S L O B     C   C R
R A A B O O K M O B I L E A I
C E G O C A R T A G E U   R D
Y A P E L O G Y H O I S T G E
R L R M   K M R V     T   O
  O L R A   C P A A   E
    A O Y C   A A D E R
    D D A     B C E H
D R I V E R L M A R T
      O   L D A E R P S
D I S T R I B U T E D P
K C A B L L O R     P
T H R I V I N G       I
T R A N S P O R T E R     T
G N I K C U R T
```

CHRISTMAS
Puzzle # 7

```
C A D N I B O X I N G F G P T
R R L E F A I N T L Y R L A A
I B Z O T   Y       A O R M
M O   T R A   L     N G O E
B R   U A R   L     T G L
O E     P C C H O L I D A Y
  A G N I D O O G   H C   T
  L A I R A N I M U L     W
R E S I M E M I M O T N A P I
  V H G A T L A A U Q   N
    A T U R K E Y       E
      T W E L F T H T I D E
        C L I A S S A W
Y R T N I W O
```

FLORAL DESIGN
Puzzle # 8

```
D A D V E N T I T I O U S A C
C I S U O R E M O S I N A U R
D A P C D E E C K A Y A K T E
  L M A O E T S N C     O S
  O E D H S T I A E     M T
    M O   E I L C H P   O E
T E R F F O C R G E N C S T L
Y R T E M M Y S E N   I   I A
F U T U R A M I C N E     V B
Y R E D I O R B M E T D   E O
C I T S I R U T U F     L   R
P M A T S D N A H       Y A
S I D E S W E P T       T
S T A M I N O D Y       E
L A C I R T E M M Y S
```

MAIL
Puzzle # 9

A	B	S	E	N	T	E	E	C	O	I	F	D	H	M
D	N	E	P	E	D	E	L	F	R	E	E	I	A	A
E	X	P	R	E	S	S	S	I	F	T	M	S	B	C
D	N	M	T	D	T			S	F		A	C	E	U
O	R	I	A	O	I	A			U		T	O	R	L
C		O	H	I	H	A	B			G	T	N	G	A
C		L	C	L	S	P	E			E	T	E	T	
U			D	A	C	L	E	R			R	I	O	U
P	S	H	I	P	N	M	L	I	R		S	N	N	R
A					A		A	A	P	P	U		E	
N					L		D	M	A	E				
T	P	H	I	S	H	I	N	G			M			
Y	R	A	T	E	R	C	E	S			M			
X	E	T	E	L	E	T					Y			
D	E	T	I	C	I	L	O	S	N	U				

GRAPHIC DESIGN
Puzzle # 10

A	T	Y	C	L	A	S	S	C			R	H	I
E	I	O	S			H		M	E	Y	D		
E	L	R	P	U		D	E	S	T	I	N	E	E
P	S	E	F	H	B		M	A		X	D	T	O
	O	U	C	R	G		I	L		O	E	O	G
	I	T	O	T	A	U		S	T		G	R	G	R
		N	P	H	R	M	O	E	I		R	I	R	A
			T	A		O	E	B	R		A	N	A	P
			R	L		L	R	E		P	G	P	H
E	I	R	E	S	I	O	N	I	H	C	H		H	Y
M	O	D	E	L		C		R	E	T	N	I	R	P
R	E	T	U	O	R		A			R			
L	I	O	F	X	E	S		T				
Y	H	P	A	R	G	O	D	U	E	S	P	
P	H	R	E	N	O	G	R	A	M		

SEA
Puzzle # 11

D	A	C	T	I	N	I	F	O	R	M	L		
I	S	N	L	K	L	A	N	I	H	C	E	I	
T	H	U	A	A	N	E	O	L	F	R	U	S	O
C	E	E	O	D	N	I	W	O	L	F			N	B
H	L	H	R	M	R	O	R	H	E	A	V	Y	A	W
R	S	E	S	L	O	O	R	D	T	D			U	A
	A	T	R	E	I	R	M	O		F	O		M	V
		G	A	E	R	N	D	E	C		I	R	A	E
			G	T	K	F	G	A	C			R	C
			E	I	C		N	A			H
S	P	E	A	K	D	C	A		A	F		I	T
				E	M			R	A
L	A	R	O	T	T	I	L	B	U	S			U
Y	H	T	R	O	W	A	E	S	N	U			S

STAR
Puzzle # 12

A	S	T	E	R	O	X	Y	L	O	N	D	R	O	F
O	C	A	R	D	E	R	A	Z	I	M	U	K	K	A
T	T	E	S	O	O	X	R	E	P	I	L	A	C	T
F	A	E	L	I	C	I	O	G	N	I	T	E	E	M
U	P	E	E	U	W	C	R	C	E					O
L	U		H	W	B	E	U	E	H	I				S
G	L			C	S	O	L	L	P	O	X			P
E	L			S	R	L		T		R	Y		H
N	Y	R	R	A	T	S	E	G		A		D	P	E
T		E	T	I	L	L	E	T	A	S	T		A	R
S	T	E	L	L	A	T	E		T			I		E
B	R	E	P	U	S				I		O
O	V	E	R	W	R	O	U	G	H	T	B		N
O	R	N	I	T	H	O	G	A	L	U	M
V	A	R	I	A	B	I	L	I	T	Y

STOP DEPRESSION
Puzzle # 13

B	B	C	D	E	R	A	I	L	M	A	O	L
U	R	I	A	A	R	A	E	P	P	A	S	I	D
R	A	T	N	V	E	S	W		L	T	S	E	R
Y	K	S	N	T	I	D	K	A		A	L	L	E	S
	E	U		E	R	T		I	S		I
		M		V	O	Y		P	H	S	N
		P			E	C	R	E	P	P	U	C	S
S	O	J	O	U	R	N	R	E	S	W	A	G
H	C	N	U	A	T	S		P	S		R
D	I	Z	A	I	N	O	R	P	I	S	E
P	R	O	H	I	B	I	T	I	O	N	I
S	S	E	L	E	S	R	O	M	E	R		O
S	T	R	A	N	G	L	E				N
E	T	A	L	U	G	N	A	R	T	S

DOG
Puzzle # 14

A	K	B	G	R	W	I	C	U	R	B	L	E	E	H
N	N	C	A	N	E	O	G	Y	M	R	O	W	E	D
N	W	S	A	I	I	D	H	R	N	D	O	G	G	Y
	W	A	W	B	T	K	N	C	O	O	E
	O	F	E			R	U	M	C	L	K
F	E	U	T	E	R	E	R	A	O	O	L	O	I
L	E	A	M	E	R		M	B	B	P	W	G	H
M	A	L	A	M	U	T	E	U	R		P	O	Y
		D	W	O	L	F	S		A		E	Y
R	R	A	Y	D			H		T		T
			A		E			T
			P		R			E
								R

HAPPY
Puzzle # 15

C	B	L	E	A	K		A	Y	L	B	B	U	B	E
C	I	L	U	F	I	T	N	U	O	B		W		X
C	A	T	E	G	R	E	I	C	N	O	C	H		C
	O	N	S	T	N	E	M	E	L	P	M	O	C	I
Y	E	M	C	I	G		A		U			O	L	T
R	T	X	E	E	U	L	T		S		P	A	E
A		E	H	D	L	R	E			S		U	M
P		I	I	Y	L	T	A				I	R	E
T			A	L		E	L	M			E	N
			G	A		D	A				L	T
D	O	W	N	H	E	A	R	T	E	D
E	L	B	A	D	A	R	G	A	E	V	I	R	H	T
D	E	V	O	R	P	M	I		T
M	R	O	F	R	E	P		E
T	N	E	M	L	L	I	F	L	U	F	D

DRINKING
Puzzle # 16

S	B	U	Z	Z		C		C	D	R	U	N	K
D	U	Y	R		T	N	A	R	U	T	A	N	E	D
O	Y	O	R	A		N		P	G	U	S	T	O
G	E	T	I	I	E		I	R	H	Y	T	O	N	V
G	E	R	I	M	A	T	K	O	O	S			E
E	L	T	A	L	E	L	I	C	L	T			R
R		A	A	W	A	T	N	K	D	E			D
Y		K	R	S	U	S	Y	E	I			R
		O	E	S	T	B	R	N			I
T	N	U	T	S	P	D	A	N	A			N
S	E	R	I	O	U	S	O	L	E			K
T	O	A	S	T	E	R		M	G	V
	E	V	I	T	A	R	E	P	O	E	R	P
A	I	L	A	N	R	U	T	A	S
S	Y	M	P	O	S	I	A	C

108

E SPORT
Puzzle # 17

C	E	Y	A	K	C	A	M	L	A	R	D		
	H	L	H	O	O	P	S	I	P	T	E	N	
E	E	L				C	N	P	S	O	X	A	
C	K		L	I			O	C	L	T		H	O	H
	A	A	N	S	V		U	O	I	I	U	T	S	B
Y	D	L	T	A	E	S	T	L	Q	C		R	
	E	R	L	S	M	A	T	N	U	K		A	F
R	E	K	A	E	P	S	C	N	E			C	
		C	O	R	O	T	O	U			K	
		O	B	W	R	A	U	H			S	
			J	E	I	T	B	N			I	
			E	N	I			T	D			
L	L	O	S	M	I	L	P	N	N	N		E
K	R	O	W	D	A	O	R		K	E	G		R
Y	R	A	N	I	M	I	L	E	R	P	R	

UNIVERSITY
Puzzle # 18

H	I	B	A	D	A	N	K	O	T	D	O	O	H
A	A	P				U	R	E	L	F	P	
R	R	A		P		D	E	R	O	A	A	
A			V	C		R		A	H	R	M	R	S
R	R	U	P	A	H	L	O	K	P	G			O	D	S
E		L	R	R	U		F				I		U
		A	M	I	D	C		E			H		C
		N	S	U	N		A		S	
R		T	S	I	C			S	
	O		A	N	N	I	V	E	R	S	A	R	Y
	E	T	U	T	A	T	S	I	T	
		C				T	R	O	I	N	E	S
C	O	L	L	E	G	I	U	M	A	T	N	
			R	E	S	P	O	N	S	I	O	N
S	A	B	B	A	T	I	C	A	L		T	

BABY SHOWER
Puzzle # 19

P	B	B	B	E	G	L	U	B			F	F	G
R	E	A	R	R	C	O	W	L	I	C	K	E	L	A
F	E	E	B	A	E	M	L	L	O	M	T	E	A	Y
I	O	L	L	Y	S	A	U	P			E	D	G	B
N		R	W	S	S	H	S	I	M		R		E	Y
F		C	A	A	H	E	T	S	U	M		O	U
A			E	R		I	L	F	A	L		L	S
N	R	U	S	K	P	C		P	K	E	N	P	E	A
C		R	E	H	S	U	P		C	E	M	T	G
Y	T	N	A	F	N	I			I	D	Y	E
Y	L	A	H	P	E	C	O	R	C	I	M	R		G
E	G	A	I	R	R	A	C	S	I	M		T
S	C	A	R	E	B	A	B	E	
S	T	I	L	L	B	I	R	T	H	

PEOPLE
Puzzle # 20

C	A	M			R	A	G	A	B	A	S	H	G
E	O	W	A		O	N	U	D				E
H	S	S	O	Y	K	I	T	A	N	E	M	U	K	N
H	C	E	T	I	A		I	P		G			U
E	N	N	A		N	R	C	R	S		A		I
	R	E	A	N		U	R	O	N			N
		D	R	P	O		R	E	E	C	I		E
			F	A	A	U		D	N	O	
G	N	I	S	U	O	H	J	N		I	N	M
E	I	R	H	P	M	A	J	M	A	L	C	O	A
E	C	N	E	R	R	U	C	N	O	C		R	M
I	N	T	E	R	R	A	C	I	A	L		F
I	T	A	R	E	T	I	L	T	E	L	L	I	M
P	O	P	U	L	A	R	P	U	B	L	I	C
E	D	U	L	C	E	S	L	A	R	E	V	E	S

ESTATE PLANNING
Puzzle # 21

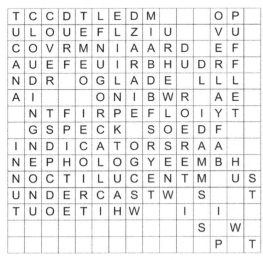

```
M R H S A R B C R O N O D C
I   M   D C E L A     Y T S A H
N     S M   H V A R       S
V F I X I N G E A M E       U
E       N T R S E   E L     A
N       I D A U E K     E L
T       S   A R E I Y       S
O       T     E O N S         S
R       E       H P G I
Y   E G R A L N E E R I N
I N T E R D I C T   L O E
L I M I T A T I O N   B C S
N O I T A T I D E M     M
E D U T I V R E S       U
N O I T C A R T S B U S     H
```

LITERATURE
Puzzle # 22

```
B D S I T Y L E D I G     E P
B Y R C O M I C E E T A L X A
T A Z A R       V   A   P T
D S G A B U D   O     T   L R
  U I A N B E E U       H I I
  E T T T L T R T U R N C P
    S A E I E A E       A A
    P R L N R R N       T S
    A L I E E N       E S
G N I N N E K P E S K T A   I
M O V E M E N T M   M A T M A
M S I L A E R     O     E I N
C I T A M E H C S   C     P L
M S I C I T S I R T A P     S
S C H O L A R S E M I O S I S
```

CLOUD
Puzzle # 23

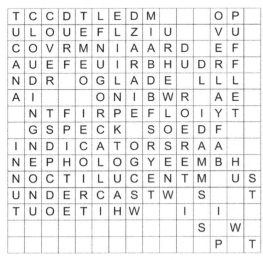

```
T C C D T L E D M     O P
U L O U E F L Z I U   V U
C O V R M N I A A R D   E F
A U E F E U I R B H U D R F
N D R   O G L A D E   L L L
A I     O N I B W R   A E
  N T F I R P E F L O I Y T
  G S P E C K   S O E D F
I N D I C A T O R S R A A
N E P H O L O G Y E E M B H
N O C T I L U C E N T M   U S
U N D E R C A S T W   S     T
T U O E T I H W     I   I
                  S   W
                  P   T
```

PARTY
Puzzle # 24

```
B R A C Q U I E S C E N C E O
T A A T G H A R D E     O O B
T N A T U A E G N I R F M U L
F C A T Z O L     L     M T I
  A E M H   K A   I     I S G
  C L I I T O   D     S I O
H   R T E A S N O H     S D R
R I   A I S L M E C     A E
  E M   L O E C   M     R R
    D S F U N D R A I S E R
    A E   G     E   R
    E L   E       D   R
      L F   R     N   E
T N A T I L I M         A   M
Y X O D O H T R O         P
```

COOKING
Puzzle # 25

N	U	J	A	C	P	A	R	M	E	S	A	N	B	C
B	A	K	D	E	U	H	O	O	D	L	C	L	A	A
E	R	E	C	I	G	P			A	O	E	C	D	
K	S	O	L	A	S	D	F		T	R	E	O	I	
R	C	C	C	H	H	E	U		K	I	K	N	L	
G	O	A	U	H	A	S	I	R	L	E	A		L	
	N	A	B	L	E	W	K	S	D		N		A	
	O	S	T	E	T	A	O	O		D		C		
	Y	T	A	N	T	T	O		E					
	N		F	T	E		C	R						
E	R	A	W	D	R	A	H	P	A	T	T	Y		
	I	N	I	C	R	O	P							
			I											
		S	A	L	A	M	A	N	D	E	R			
N	A	M	Y	R	T	L	U	O	P					

GOLD
Puzzle # 26

A	L	L	I	R	A	B	P	N	G	L	O	B	E	D
S	L	R	U	P	K	G	N	O	O	R	I	N	G	U
O	T	K	I	N	C	O	B	A	L	L				C
S		E			L	F	R	B	L	B			T	
T	H		N	D		D	R	T	E	O	A	O		I
E	S	A		O	L	W	N	E	G	K		C	D	L
N	Y		B		V	O		I	D	A	C		E	
S	L			I		R	G		N	I	R	O		
O	V			L	K	E	E		A	P	I	R		
R	A				I		H	L		T	S			
I	N			N	M		C	A	L		L			
U	I			G		E			P	U				
M	T			S	E	I	N	O	O	T		S		
	E		N	O	I	T	A	Z	I	T	E	N	O	M
E	T	I	N	N	A	M	H	T	U	M				

PHOTOGRAPHY
Puzzle # 27

G	R	R	Y	E	C	M	E	T	O	L		D	I	R
E	A	U	O	T	T	Y	O	T	O	H	P	U	N	A
C	L	T	O	T	S	T	A	F	O	O	R	P	T	Y
M	I	U	N	L	A	A	E	N			L	E	O	
T	O	H	C	O	O	T	R	V			I	N	M	
R		N	P	I	S	C	U	T	U		C	S	E	
O			O	A	T	E		M	N	C		A	I	T
U			C	R	N	T		M	O		T	F	E	
G				L	G	E	I		O	C	E	I	R	
H				E	O	L	K		C		E			
P	A	N	O	T	Y	P	E	M		A			R	
		L	O	X	O	D	O	G	R	A	P	H		
P	A	M	O	T	O	H	P			L		A		
C	I	T	S	I	L	A	R	U	T	A	N		P	
T	N	I	R	P	O	T	O	H	P					

PIANO LESSONS
Puzzle # 28

C	A	M	P	I	O	N	E	I	T	A	S	G	F	J
A	C	C	O	M	P	A	N	I	S	T		I	A	O
R	A	U	T	O	P	I	A	N	O	Y		V	I	A
E	E	E	E	I	E	K	T			F	E	R	N	
N	S	N	N	T	O	R	N	H			I	Y	N	
O	R	P	N	T	U	N	U	U	I		S	D	A	
V	A		A	I	E	P	E	T	L	N		C	V	E
A	G		L	G	R	M	R	C	P		H	I		
C	T			E	E	T	I		E		O	R		
H	I			B	A			L	O	G				
O	M	R	E	C	I	T	A	T	I	O	N	L	I	
R	E	S	E	M	I	T	O	N	E	N		W	N	
D	P	I	A	N	O	F	O	R	T	E	E	O	A	
R	O	T	I	T	E	P	E	R			R	L		
E	L	K	N	I	T				K	S				

SCIENCE
Puzzle # 29

N	A					C	C							H
D	A	L			C	A	R	D	I	O	L	G	Y	
D	O	R	A			B	I	O						D
	I	M	T	B		B	M		U					R
		P	A	R	A		A	I			T			A
			L	I	O	C	L	N					E	U
				O	N	F	A	O					R	L
Y	G	O	L	O	M	O	N	L	E	K	O	V	N	I
K	A	B	B	A	L	A	H	O						C
Y	G	O	L	O	E	G	C	G						
E	N	I	C	I	D	E	M	Y						
Y	G	O	L	O	T	A	M	M	A	R	G			
A	I	E	O	P	O	L	E	M						
S	C	I	R	T	E	M	O	N	C	O	L	O	G	Y
M	O	R	P	H	O	L	O	G	I	S	T			

PHOTO EDITING
Puzzle # 30

P	O	H	S	O	T	O	H	P	S	H	A	R	P	F
E	E	N	O	I	T	P	A	C	A	T	C	H		E
C	R	N	D	E	M	E	N	D	S	H	O	R	T	A
D	L	U	O	O	G	N	I	V	A	R	G	N	E	T
E	N	A	T	G	C	P		M			S	P	U	
G	E	U	P	R	Y	U	H		O			N	R	R
E	N	U	O	B	E	B	S	O	N			A	O	E
R	T	I	Q	R	O	P		O	T			P	C	D
	E	O	P	R	G	A	A		A	O		C	E	
	I	U	A	A	E	R		G	P	C	H	S		
	S	Q	C	M	R	D	E				A	S		
S	L	U	G	S	I	S	I	O				T	L	
			U	P	T	R	F						L	
			E		U	T	I	L	I	T	Y			
U	N	D	E	R	C	U	T		N					

FRIENDSHIP BRACELETS
Puzzle # 31

A	F	F	E	C	T	D	N	O	B	B	C	M	R	S
T	P	D	D	S	H	I	P		R	R	A	A	E	E
R	C	P	E	E	N			E	O	L	K	P	V	
Y	E	A	R	A	V	R		A	M	U	E	U	E	
	R	D	R	A	R	O	U		K	A	M	N	L	R
		A	N	T	I		T	P	N	E	E	S		
		L	E	N	S		I	S	C	T	C	E		
W	A	R	M	O	G	O	E		O	E		E		
			T	N	C		N	S						
C	I	R	B	A	F	S	E		R	E	T	S	I	S
	D	O	O	H	I	L	D	N	E	I	R	F		
E	M	O	C	L	E	W		P			T			
	K	A	E	R	B	T	R	A	E	H		U		
S	U	O	I	N	O	M	R	A	H		D			
P	O	S	S	E	S	S	I	O	N		E			

WEATHER
Puzzle # 32

A	R	E	D	L	U	O	B	C	B	D	I	F	F	Y
Y	N	L	O	W	E	R	Y	O	E	E	M			
E	P	T	A	Y			O	A	S	T	I			
D	T	P	I	M	K		L	U	E	A		L		
	I	A	O	F	S	R		T	R	I			D	
	V	R	H	R	I	A		I	T	N				
	E	D	C	E	D	P	F		T					
	R	Y		E		U								
	G	H		Z	L									
D	R	U	M	L	Y	E	E	T	E	L	T	R	O	P
N	O	S	A	E	S		N	D						
S	E	T	T	L	E	D		C						
			L	A	M	R	E	H	T	O	S	I		
P	R	O	G	N	O	S	I	S						
R	E	T	L	E	H	S	U	M	B	R	E	L	L	A

JEWELRY
Puzzle # 33

E	A	M	U	L	E	T		A	B			E	P
B	T	J	C	O	U	L	O	M	B	A		L	I
G	U	T	E	N	R	A	G	E	H		N	E	P
R	O	L	E	W			E	T		A	D	G	I
	E	L	L	R	E			H		I	A	N	
		A	D	I	G	L		Y	C		R	N	G
			L	E	O	I		S		U	C	P	
G	N	O	R	P	N	N	A	T			O	E	L
E	V	I	T	A	R	O	C	E	D		L	A	
J	E	W	E	L	R	Y	M	U	G	G	E	R	T
Y	T	L	E	V	O	N	D	E	C	R	E	I	P	I
P	R	O	T	E	C	T	P	U	N	C	H		N
R	U	T	H	E	N	I	U	M				U
Y	R	E	P	M	U	R	T					M

PIZZA
Puzzle # 34

W	R	D		B		D	R	E	T	E	M	A	I	D
Y	O	U	A		A	E	I	E	N	O	U	G	H	M
	L	H	E	M	M	L	N	S	G	L	O	B	S	O
		R	C	S	N	A	S	O	T	H	E	A	T	N
		I		S	Y	R	T	B	E			A	D
T	N	U	A	J	I	S	G	O	O	N		T	O
		F		O	U	H	P	D	D	E			
E	S	I	W	E	K	I	L	N	P	E	P	Y	M
A	I	R	E	Z	Z	I	P		N	R	R	I	E
A	L	L	E	R	A	Z	Z	O	M	O	E	I	N
R	E	N	O	U	N	C	E	N		C	M	T	G
T	U	O	E	K	A	T		A			E	A
V	I	S	I	T	A	T	I	O	N	G		
								E				
							V					

MOM
Puzzle # 35

T	N	U	A	C	O	M	P	E	L	L	I	N	G	D
D	Y	W	R	U	O	H	I	L			R	S	I
E	E	T	O	R	E	N	E	N	U		A	H	S
	M	P	I	S	O	V	S	V	J	N	I	O	P
		U	L	D	I	T	I	E	I	U	A	L	C	U
			L	O	E	D	A	T	R	T	R	C	K	T
				O	R	R		R	N	V	I	E	Y	E
				V	E	E		T	E	E	N
N	O	I	T	A	T	R	O	H	X	E	C	U
I	M	P	L	O	R	I	N	G	L	Y	P	N	P
I	N	E	S	C	A	P	A	B	L	E	R	I
O	V	E	R	Z	E	A	L	O	U	S	E
R	E	G	U	L	A	T	O	R	Y	P
R	E	P	U	L	S	I	O	N
R	E	T	I	C	E	N	C	E

INTERNET
Puzzle # 36

H	I	E	L	C	I	T	R	A		D	G	H	C
T	M	N	D	E	L	M	X	B	E	I	E	Y	Y
M	A	G	O	N	M	I			G	O	P	B
L	P		N	I	U	I	C		I	C	E	E
		K		I	T	F	R	K	T	A	R	R
D	O	T	C	O	M	C	D	C	A	C	L	S
			A	P	O	E	W	R	L	H	I	P
V	I	R	A	L	H	E	O	N	O	E	E	N	E
J	A	R	G	O	N	W	E	R	N	R	B	K	A
S	E	R	V	L	E	T	E	R	G	O	C	Y	K
P	H	I	S	H	I	N	G	L	I	L	C	C
R	A	B	E	D	I	S		G	N	L
R	E	G	A	N	E	E	R	C	S	O	G	O
	S	U	B	S	C	R	I	P	T	I	O	N	R
T	I	M	E	O	U	T			G	T

ELECTRIC BIKES
Puzzle # 37

A	E	D	A	L	B	C	O	R	D	L	B	C	C	P
	M		C	E	K	L				O	R	O	O	L
		P		O	C	L	O				O	O	M	U
			E		N	I	A	W		P	U	M	M	G
N	G	I	S	R		T	V	X	E		G	U	U	T
	N	O	I	T	A	C	R	E	O	R	H	T	T	R
D	Y	N	A	M	O	G		O	D	N	A	A	A	I
A	M	S	A	L	P		E		L		M	T	T	P
D	I	S	C	H	A	R	G	E	R	L		E	I	
	E	T	A	L	L	I	R	B	I	F	E	D	O	
R	E	T	P	U	R	R	E	T	N	I		R	N	
D	I	O	N	I	T	A	L	P	H	T	A	E	H	S
E	I	R	E	S	S	I	T	O	R					
T	H	U	N	D	E	R	F	I	S	H				
G	N	I	R	I	W									

MOUNTAIN
Puzzle # 38

E	N	I	N	N	E	P	A	K	V	A	H	S	P	H
G	L	C	C	G	I	L	L	A		A	N			A
B	N	P	L	R			Z		L		E			F
R	Y	E	I	I	O		B		T		D	L	T	
I	S	R	T	S	M	W		E		I		O	G	
C	N	L	R	U		B	N	K		P		W		
K	G	O	L	E	H	R	E	V	U	O	C	N	A	V
T	O	M	I	I	B	P	S	L	N	R	O	H		
I	N	T	A	T	H	G	T	N	C	T		I		
M	D		R	R	A	T	O	O	O	A		L		
B	O			E	T	M	O	D	R	W	N	L		
E	L			N		R	O		R	C	N			
R	A				D		O	F		E	A	I		
E	E	R	T	D	N	U	O	R	F		N	P	P	
												T		

GERMANY
Puzzle # 39

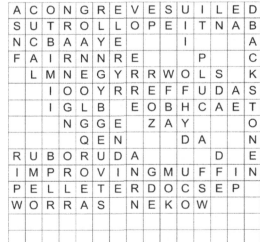

A	G	I	L	S	E	D	N	U	B	C	A		
D	T	R	U	F	R	E			A		L		
Z	A	L	D	N	A	L	S	E	I	R	F		L
E	N	R	U	H	K	I	E	S	I	N	G	E	R	Y
S	C	E	M	D	C	N	C	N	I	A	H	C	M	C
G	C	I	L	S	W	A	E	A		P		T	A	A
L	R	H	R	B	T	I	Z	G	M			O	R	M
K	A	U	W	U	O	A	G	L	E	E		R	K	E
R	E	T	B	E	A	K	D	S	A	I	R	N		R
	E	U	R	S	I	M		T	H	S	S	A		A
	K	P	E	F	N			A		D	L	L	
		C	E	P	L	F			F	O		I	
		U	R	P	O	U				E		S	
		M		U	W	R				N	M		
P	L	U	N	D	E	R		W		T			

LEARN ENGLISH
Puzzle # 40

A	C	O	N	G	R	E	V	E	S	U	I	L	E	D
S	U	T	R	O	L	L	O	P	E	I	T	N	A	B
N	C	B	A	A	Y	E			I					A
F	A	I	R	N	N	R	E			P				C
	L	M	N	E	G	Y	R	R	W	O	L	S		K
		I	O	O	Y	R	R	E	F	F	U	D	A	S
		I	G	L	B		E	O	B	H	C	A	E	T
			N	G	G	E		Z	A	Y				O
			Q	E	N			D	A					N
R	U	B	O	R	U	D	A				D		E	
I	M	P	R	O	V	I	N	G	M	U	F	F	I	N
P	E	L	L	E	T	E	R	D	O	C	S	E	P	
W	O	R	R	A	S		N	E	K	O	W			

COLLEGE SCHOLARSHIPS
Puzzle # 41

L	E	L	L	I	V	R	E	M	O	S			R
A	L	A	C	A	D	E	M	I	C	A	L		U
D	D	E	A	L	U	M	N	I	T	E	D	A	C	S
C	E	M	W	A	L	U	M	N	U	S			H
R	O	O	I	N	K	H	I	G	H	E	R		E
R	E	M	C	S	A	N	P	R	O	V	O	S	T	E
N	E	H	M		S	R	U	S	U	B	J	E	C	T
	I	G	T	E		I	C	L					A
	K	A	A	N		O		F				V	B
		S	N	F	C		N					A	A
			A	S	E	R	V	I	F	O	R	R
			M		M						S	D
	Y	C	N	E	D	I	S	E	R	P		I	E
L	A	P	I	C	N	I	R	P		N		T	R
S	O	P	H	O	M	O	R	E			T	Y

TABLE TENNIS
Puzzle # 42

B	I	T	Y	O	B	L	L	A	B		D		R
U	R	N	N	C	D	I	N	E	T	T	E	O	I
F	E	E	A	E	O	E	I	G	H	T	E	E	N
F	M	I	T	H	M	M	S	E	V	I	F		G	G
E	Y	U	G	T	G	U	M	G	I	M	E	L	G	T
T	Y	R	I	H	U	F	G	O	K	I	L	L	I	E
O	E	O	E	N	T	B	A	R	N			T	N
	G	N	B	L	I	H	N		A				N
	N	O	W	L	E		E					I
		O	L	O	A	T	R	E	S	T	L	E	S
		M	L	L	G	S		T				Y
			A			N		R
			P			I		I
Q	U	A	D	R	I	L	L	I	O	N	E		H
T	E	C	H	N	E	T	I	U	M				T

HOSPITAL
Puzzle # 43

M	S	I	C	I	T	I	R	B	A	G	C	S	U	L
S	D	R	A	W	E			C	O	A	W	N	A
P		M		C		U	O	M	I	I	Z
I	N	C	P		E	I	R	T	D	P	V	T	A
T		O	H		W	C	P	E		U	E		R
A	D	M	I	S	S	I	O	N	S	H	S	L		E
L		M	T	T	E	L	R	D	A	O	T		T
H		I	H	N	A	A	A	E	N	L	H	O		T
O		T	E		E	V	R	T	T	E	U		R	E
U		M	A		M	A	M	R	T		B		B
S		E	T		W	R	A	I	I		M
E		N	E			O	G	R	N	L		A
	T	R			D	G	K	E
N	O	I	T	A	D	N	U	O	F	N	A
Y	N	N	H	O	J	R	A	L	U	G	E	R

SOLDIER
Puzzle # 44

E	H	C	O	B	D	G	U	E	S	C	L	I	N
M	D	R	U	M	S	E	I	T	U	R	B	I	D	E
R	I			A	D	V	S	E	V	E	R	U	S
C	E	E		M	R	R	E	C	N	A	L
E	I	T	H	M	A	P	A	R	T	I	Z	A	N
N	Z	T	U	R	Y	G			E
N	A	I	A	O	E	O	B	I	V	O	U	A	C
	A	M	L	T	C	N				X
	M	T	I	I	C	N	D	N	A	M	M	O	C
	N	O	B	O	A	A
		W	O	O	N		M
		O	F	M	A	N	S	L	O	T
			G		E
R	E	I	D	A	N	E	R	G	D
T	A	O	C	Y	E	R	G	P	R	I	V	A	T	E

ANT
Puzzle # 45

```
A S I U G U M A R B E A R
M D U T E G N I R A E B     B
A C O G N R       E V E R B R
Z A P R A O         B     A
O     S O A L B         T I
N       T R I     C O L O N Y
  M U I R E H T A G E M F W A
D U L O S I S T   S     O O T
N I L O G N A P R   S   R R H
F O R M I C I N E A   A M M A
M U I R O T A D U X E   I   L
N A R E T P O N E M Y H C   L
M O N O T R E M E       A   I
S U O M O D Y L O P     T   U
N E E U Q W O R K E R   E   M
```

MAGIC
Puzzle # 46

```
D T H T S I T P E D A W A N D
I L A T R A E P P A E
A F I O O     S     L B
B F A H I H     I     I U
L J A I N S T     C     G N
E U N S R U M       R     I K
R G N O C Y R     G N O M E S
I G   A I I T B       X
E L     I T N A K I T C H E N
  E       G A A L P O W W O W
T A N T R A A T T E W I T C H
          M I I
S P E L L W O R K V O
K N A B E T N U O M E N
T H A U M A T U R G Y L
```

BIRD
Puzzle # 47

```
E L L I B D D A W A R C
E I   L R U O I G N I L R O G
  E R   I E L O V N L O O M H
    W E   B K B R R I       O
      E A   T C U B O T     R
E M U L P E D A U L   C O   N
A E R R U M M   L S       C B
  N       A     F T       I
    A     G       A       L
      C     G M A R A B O U L
        A   I E L O I R O G
          J E T O L A D R A P
Q U I L L W O R K S Y R I N X
R A I L B I R D
S C A P U L A R
```

CAT
Puzzle # 48

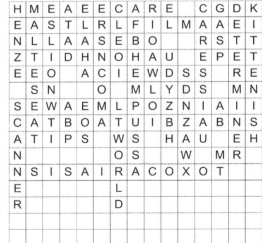

```
H M E A E E C A R E     C G D K
E A S T L R L F I L M A A E I
N L L A A S E B O     R S T T
Z T I D H N O H A U   E P E T
E E O   A C I E W D S S   R E
  S N     O   M L Y D S   M N
S E W A E M L P O Z N I A I I
C A T B O A T U I B Z A B N S
A T I P S   W S   H A U   E H
N         O S   W   M R
N S I S A I R A C O X O T
E         L
R         D
```

EXERCISE
Puzzle # 49

Y	E	K	A	I	S	E	R	C	F	T	R			
M	H	H	N			S	O	R	P	H	I			
D	S	P	T	I		K	N	E		E	G	N		
	I	I	O	A	P		I	S	E	D		T	I	G
		S	T	R	E	S	L	T	W	P	A	T	S	L
		P	O	T	R	L	R	R	R		R			
P	U	S	H	U	P	A	B	U	I	O		A	A	
				T	S		E	T	L	V	M	V	P	
L	Y	C	E	U	M	A	E		I	U	O	P	U	W
					T	D	N	S	L	O	L	E		
S	A	L	U	T	A	R	Y	I	G	I	I	L	G	A
E	L	D	D	A	R	T	S		O	O	T	I	U	R
E	C	N	E	G	I	L	L	E	T	N	I	N	S	
R	E	S	T	O	R	A	T	I	V	E	O	E		
K	C	I	T	S	E	L	G	N	I	S	N			

CHILDREN
Puzzle # 50

M	U	R	I	L	L	O	E	B	L	O	O	D		C
F	D	L	I	W	H			V	C	E				H
	R				C			I	R	W				A
T	N	E	D	E	C	E	T	N	A	T	O	O		R
P	I		T		G	O	C	A	R	T	P	S	B	M
M	U	S	K	I	D	F	L	I	C	K		O	S	
I	P	O	S	P	L	A	Y	G	R	O	U	P	D	
S	E	M	R	U	E	L	I	R	E	U	P	S		A
O	K	U	U	C	E	Q	U	I	N	T		Q		
P	K	C	G	P	T	R	U	A	N	C	Y	U		
E		C	A	O								A		
D			O	S	R							B		
I			T	G	N	I	G	N	I	R	B	P	U	
S			S									L		
T												E		

SOUP
Puzzle # 51

A	E	B	O	R	S	H	C	H	B	M	A	L	C	K
E	N	U	D	A	S	H	I		R	R	A		A	
E	L	A	Q	P	O	T	A	G	E	E	R	E		L
S	R	O	L	S		N		A	D	O		R	E	
K	O	U	R	O	I		I		D	U	U		C	
	A	U	B	E	G	B		H	S	C	X			
		E	P	R	S	G	R	A	T	E	F	U	L	
T			T	Y	A	S	G	N	I	L	P	M	U	D
	N			S		G	A		C					
T	N	E	L	U	C	S	E	C	K					
		G	E	N	E	L	I	R	D	A	M			
			I	E	G	A	T	T	O	P				
			D	S	O	U	P	B	O	N	E			
W	O	N	T	O	N	N	S	W	I	F	T	L	E	T
					I									

PUZZLE
Puzzle # 52

E	L	F	F	A	B	U	N	Y	A	D	I	Z	Z	
R	E	S	A	E	T	N	I	A	R	B	O			
C	A	T	C	H	Y	E	N	O	D			I		
E	O	M	H	T	I	R	A	T	P	Y	R	C	N	
O	X	N	A	P	Y	M	Y	T	S	A	N		P	G
E	R	P	N	R	I	L	Y	R	R			O	R	
T	S	U	L	E	G	R	L	S	E	A		S	E	
T	I	O	K	I	C	O	G	A	T	E	C		I	S
E	S	W	P	A	C	T	G	O	T	I	U	K	N	O
	L	I	E		K	A		O	G	N	F	Q	G	L
	D	L	L		T		L	O	E	Y	L	U		
		D	Z	Z		E			L	M	Y	T		
			I	Z	Z	T	A	N	G	R	A	M	I	
			R	U	U							O		
				P	P						N			

BEAUTIFUL SCENERY
Puzzle # 53

D	E	G	A	Z	E	B	O		C	C	K	A	M	A
T	E	P	K	O	P	E	R	A	A	H		R		
	E	I	O	I				R	R	O	P	A		
H	S	O	T	I	T			N	Y	N	I	P	L	
	C	U	P	U	L	S		A	S	O	C	R	S	
L		A	T	D	A	L	C		T	O	M	T	O	T
	U	S	E	I	E	E	A	H	I	P	A	U	T	A
		F	U	P	R	T	B	C	O	R	T	R	H	R
		E	O		T	O		N	A	O	E	A	L	
C	O	I	N	C	I	D	E	N	T	S	M		L	E
			A	C		D	A	E	A		A	T		
			R	A			T	N		M				
N	R	E	T	T	A	P	G	R			I		I	
L	Y	R	E	B	I	R	D		G		A	O	O	
Y	N	O	T	O	N	O	M					N		

BASKETBALL
Puzzle # 54

B	D	R	I	B	C	H	C	T	A	C	T			
E	Y			A	R				R	F	F	H		
S	N	G		G	E	E			A	L		E		
T	D	O	O		E	J	L	T		M	O		S	D
S		I	I	L	R	I	R	B	N	P	P		I	R
	U		S	S	O	T	R	E	B	E			T	E
		O		C	R	T	E	E	P	I	C		A	V
		I		E	E	E	E	B	M	R			T	E
			N		R	V	K	R	O	U	D	E	R	
				O	Y	N	N	C	E	U	J		S	
				M		I	O	A	F	N		E		
N	O	S	N	H	O	J	R		B	C	R	E	D	
S	D	N	U	O	B	N	I	A		L		B	R	
N	O	I	T	I	S	O	P		H		E			
E	L	B	A	R	T	E	N	E	P					

SILENT MOVIES
Puzzle # 55

G	E	D	N	O	L	B	C	Y	R	A	E	R	D	D
E	I	P	E	V	I	T	A	R	A	P	M	O	C	I
D	V	S	O	K	M			Y						R
W	A	O	H	C	I	A	C	I	H	P	A	R	G	T
D	A	E	R	P	S	T	L			T				Y
	N	L	T	P	R	A	S	L	M	U	M	P	S	S
	A	T	S	P	O	M	C							C
		T	U	N	A	F	E	H	T	O	O	S	U	
		S	O	I	S	A	N	L					T	
E	C	N	E	L	I	S		I	N	I	O			T
D	E	T	N	A	H	C	N	E	D	I	C	C		L
O	B	J	E	C	T	I	F	Y			T		K	E
R	O	T	C	E	J	O	R	P				Y		
T	N	E	L	O	I	V								
V	I	S	I	B	I	L	I	T	Y					

MODEL TRAINS
Puzzle # 56

W	A	H	S	D	A	R	B	S	E	V	E	E	J	
O	A	T	H	L	E	T	I	C	S	T	E	E	L	F
Y	L	R	I	N	O	I	T	A	N	I	B	M	O	C
H	L	L	A	S	D	O	L	L	Y	H	E	A	D	T
E	N	D	O	L	O	A	D	S	T	A	R			E
L	P	A	D	P	P	E	Z	A	M	N	A	V	Y	R
I	A	O	M	U	A	M	E	S	O	P		I		M
O	R	C	I	S	C	H	E				C		I	
C		E	O	N	T	K	C	X			T		N	
E		T	L	T	N	R	T	E			R		A	
N			T		I	U	O	I			O		L	
T			O		N	H	W	W		L				
R			P		G		X	S	A					
I				S			A							
C	E	Z	I	L	O	B	M	Y	S		W			

SOLAR ENERGY
Puzzle # 57

A	H	T	M	G	D		C	E	T				G	Q
C	C	T	R	O	N	E	U		C	L			U	U
T	D	T	R	A	O	I	S	E		A	I		M	I
U		E	I	A	E	N	H	I	S		P	W	P	D
O			T	O	E	H	I	S	C	N		S	T	D
S			S	U		O		U	C	E		I	L	
I			U	S	N			P	A	T	O	E		
T			L	A	N	G	U	O	R	T	N			
Y	T	I	R	I	P	S	H			E		E	I	
H	T	G	N	E	R	T	S	X		S				
	H	Y	D	R	O	P	O	W	E	R	T			
L	U	N	I	S	O	L	A	R			O			
R	E	T	E	M	O	I	D	A	R		R			
	S	U	P	E	R	C	H	A	R	G	E	D		
T	R	A	N	S	F	O	R	M			D			

POTATO
Puzzle # 58

S	C	R	I	S	P	H	A	F	Y	R	U	O	L	F
G	U	M			A	S	H	A			Y	S	W	
L	N	O	L		P	A	S	R		A	A	A		
S	A	I	U	U		H	A	H	I	L	M	W	F	
M	S	U	L	D	A		A			N	P	F	F	
E	A	E	D	R	R	H	L			K	L	L		
N	L	T	N	I	E	A	T	P	O	O	C	S	Y	E
	E	B	C	E	V	G	H	U	A	R	A	C	H	E
	M	B	H	K	I	N		T						
		I	I	S	I	D	I		I					
		G	N	T	L	N	F	P						
		E		I		I	B							
	E	L	F	F	U	R	T	C		U				
S	O	L	A	N	O	I	D		K	R				
R	E	T	A	E	B	O	T	O	R	N				

EVENT
Puzzle # 59

B			C	A	U	S	E	W				E	R
E	O		H	T	N	E	M	E	T	I	C	X	E
F	X	L		E	S		I		R			P	V
I	M	P	T	A	J	I		N		D		O	I
F		I	I	D		U	N	N	V			S	E
T		S	R			N	I	O	O			U	W
H			D	Y			C	F	V	L		R	
A	Z	N	A	G	A	V	A	R	T	X	E	V	E
F	O	R	T	U	I	T	Y	L		U		L	E
	E	V	E	I	R	P	E	R	E		R	T	D
M	S	Y	X	O	R	A	P			S		E	Y
G	N	I	N	E	K	C	I	S			S		
S	P	E	L	L	B	I	N	D	E	R		O	
T	L	O	B	R	E	D	N	U	H	T			N
D	R	A	C	R	E	D	N	U					

BOAT
Puzzle # 60

B	B	E	K	B	K	C	O	R	A	C	L	E	D
O	A	A	L	O	O	C	R	L				A	
A	K	L	T	B	O	A	O	U	I	T		Y	
T	P	R	L	E	A	H	T	H	I	A	H		S
I	E	I	A	A	A	T	T	L	C	S	M	G	A	S
E	H	K	H	B	H	U	A	A	E		E		I	A
R	R	S	C	S	E	O		O	O	S		R	L	R
S	A	O	I	A	N	D	O		B	B	S		O	D
P		T	C	K	P	A	S	S	E	N	G	E	R	I
A			I	K	A		M	S	A	I	L	E	R	N
N			N	E	R		S							I
K				G	R			M						E
S	C	A	P	H	O	I	D			L				R
G	N	I	R	P	S				E					
W	A	T	C	H	B	O	A	T			H			

WOLF
Puzzle # 61

L	E	H	S	I	F	T	A	C	E	H	L	S	W
Y	L	N	S	U	P	U	L	O	Y	U	O	O	O
C	D	E	I	E				N	S	N	N	L	L
O	J	I	D	N	N			T	E	T	E	I	V
S	Q	A	G	N	A	I		I	L	E	N	T	E
A	R	U	C	I	E	C	P	N	L	R	E	A	S
E	E	A	I	K	T	R		U			R	I	
I	T	L	V	C	A	I		A	L			Y	E	F
	B	A	T	E	K	L	G	L	W	O	L	V	E	W
	B	L	T	N	L		R						
		A	U	I	I	Y		A					
		Y	L	H	N		D						
			U	W	G		E						
U	N	N	A	T	U	R	A	L	L	Y			
W	I	T	H	S	T	A	N	D					

SHIRT
Puzzle # 62

P	K	E	S	U	O	L	B	A	S	I	M	A	C	D
U	T	I	L			R	L	P	I			I
N		A	T	K		A		O	E	T		C
J		E	A	N		W		U	E	S		K
A			H	B	I	N			S	K	U	Y
B			C		R				O		K
I	K	N	I	L	F	F	U	C			R	N	T
K	U	R	T	A	T	I	F	T	U	O		E		W
T	E	K	C	A	J	R	E	B	M	U	L	V		O
E	R	O	F	A	N	I	P		E		E		F
L	L	A	F	T	A	R	P			E		A		E
P	S	Y	C	H	E	D	E	L	I	C	R	L		R
Q	U	A	L	I	T	A	T	I	V	E		I
S	L	E	E	V	E	L	E	S	S			N	O
K	C	E	N	E	L	T	R	U	T			G		S

PACIFIC
Puzzle # 63

A	A	C	H	I	L	E		K	W	Q	D	R	S	S
J	R	I	S		J		O	I	U	I	A	E	U
T	A	U	N	U		I		D	L	I	C	R	W	R
N	I	L	T	R	L		F	I	L	L	A	O	E	M
S	O	R	I	N	O	I		A	O	L	M	T	L	U
	U	T	A	S	E	F	G	K	W	F	P	O	L	L
	N	S	Y	C	V	I	A		I	T	N	E	L
	A	R	A	O	A	L	M	S	O	G	L	E
	W		R	E	N	T	N	A	H	D	A		T
	S	C	A	T	R	M	K	U	E	C	O	N
H	S	A	W	I	S	E	L	O	B	U	N
D	O	C	M	O	T		S	A	O	I	B
G	E	N	T	L	E	A		P	N	L
G	N	O	R	A	S		K			S	A
	H	A	R	L	E	Q	U	I	N			H

WILD
Puzzle # 64

B	S	U	O	R	A	B	R	A	B	D	R	A	N	K
Y	A	H	S	U	R	B	K	C	U	B	F	H	R
N	R	C	K	L	A	W	H	S	U	B	L	O	E
M	O	R	C	D	E	B	A	U	C	H	A	P	D
T	U	I	E	H	O	K	A	L	E		G	P	E
	H	I	L	B	A	M	D	E		G	E	L
	G	R	E	K	N	E	E	L		E	R	E
		I	I	D	C	A	S	G	B	R		S
S	T	O	O	L	L	N	A	L	T	G	A		S
		F	E	A	L	I	I	A	P
G	R	A	Y	L	A	G	D	D	B	A	C	R	O
Y	G	A	H	P	O	C	Y	M			A		R
Y	C	N	A	P	U	C	C	O	E	R	P		T
R	E	C	L	A	I	M	S	H	R	I	E	K		E
S	E	R	A	G	L	I	O					

FITNESS MOTIVATION
Puzzle # 65

```
A B Y R E N O I T I D N O C
N Y E F D T E G D U J P O O R
I   C A I E I M Y T I S E B O
M     A T T R S O N I A R T
U       R E R I I R E
S         I N E P U A S
U N K E E N P   C S Q L R
T P I E C E R S   N X I O
  S I T I R O I N E S I E T W
  H E A V E N H O O D     Y
E C N E R E F E R   C
I N T E R N A L I S T
L A U X E S O D U E S P
E T A V I T O M E R
T R I M M I N G U T I L I T Y
```

SCHOOL
Puzzle # 66

```
A M U E A N E H T A B C P T
G L I   X C K N U L F R R R
G   S L   E   T D F   E E U
I     O I R A   I O   D S A
E       R T   T   U W I C N K
F L A M E I A     N Q T H C
K H O J A F D R   D     O Y
T H I R D I T O Y E     O
        C   O I R     L
S I C K B A Y   P R O   E
          T     P E T R
          S E N I O R E P U
R E G O L O I S Y H P R   T
P R I Z E G I V I N G
S C H O O L K E E P E R
```

GOLF
Puzzle # 67

```
G B U N K E R D   M T F O L P
  A H O O P T   I U   E S S U
    W O C S L I   N   S H P L
      G L C L A N I G C O R L
F R I N G E U E Y I   U O I S
Y R E L L A G P N S F E T N W
D A E T S N I T A   H E   G I
P I L L T T U P U T   A D   P
T H R E E S O M E R I   F   E
T H G I R P U       F O   T
W A G G L E         N
```

GARAGE SALES
Puzzle # 68

```
K D   A P A R T M E N T   D F
O A L   S C R U S P M O C O U
  F Z O   C A E O E R A D W N
    F U G O R T T L     N C
      S M U   E C N O   T T
P     E N     W H U C   U I
O I L Y   T R O H S P H   R O
    H     I G A R A G E   N N
      S   N S H A R E   N   A
        R G M A I N T A I N L
L L A T S E R O F         Y
          L E T A T S E R
  I T I N E R A N C Y
S E L E C T O R E
G N I B R E V     D
```

BUILDING A HOUSE
Puzzle # 69

D		B	N	B	E	T	C	H	A	N	T	Y		
	N	O		A	E	L	N	Y	D	E	L			
		A		C	M	R	T	A	R	N	C	L		
S	K	T	L	H		O	M	T	C	E	U	A	A	
	U	R		E	F	I	W	D	O	O	G	O	L	W
D	E	M	O	L	I	S	H	R	K	B		G	R	P
R	R	T	M	W	E		E	O	A	R			O	G
O	O	A	A	E	E	G		S	U	H	A			D
O		O	W	M	R	M	A		I	S	C	W		
K		D	E	E	H	A	R		M	E				
E			T	S	S	O	R	A		E	B			
R			U	U	U	U	F	C		R	O			
Y				O	O	O	S		I		P	Y		
					H	H	E		V					
T	N	E	M	E	L	P	M	I						

WINE MAKING
Puzzle # 70

S	G	R	A	V	E	S	B	O	D	E	G	A	C	G
T	A				C	H	A	R	N	E	C	O	A	E
C	N	L			W	S		G		S	T	C	N	
C	L	E	E	G	N	I	T	A	O	C	H	A	C	E
M	O	A	M	S		N	A		B		E	N	I	R
	U	O	R	R	S	O	R		L		R	N	A	O
		T	L	E	E	A	D		E		R	I	T	U
		E	E	T	T	H	G	T		Y	N	O	S	
R	H	Y	M	E	R	Y	T	C	N			G	R	
			C	A	R	P	E	T	I	N	G	E		
G	U	E	S	S	W	O	R	K	B		T			
L	I	B	A	T	I	O	N				A			
M	U	S	C	A	D	E	L				E			
O	E	N	O	P	H	I	L	I	S	T			S	
C	I	F	I	T	N	E	S	E	R	P				

CARTOON
Puzzle # 71

E	A	N	T	A	G	O	N	I	Z	E	B		E	I
B	Y	A	N	V	I	L	B	A	T	M	A	N	P	R
H	E	E	D	E	F	L	E	C	T		C		U	A
	S	M	P	E	S	I	P	S	E	D	K		R	T
	I	U	O	D	O	R	K		T	P		E	E	
		N	S	P	E	D			A					
E	L	G	O	O	E		R			C	R			
			O	D		I			K		I			
E	P	O	C	S	O	T	O	R	T				P	
			G	E	R	R	Y	M	A	N	D	E	R	
	I	L	L	U	M	I	N	A	T	I	O	N		
E	C	I	P	I	C	E	R	P	C					
P	A	S	Q	U	I	N	A	D	E					
S	C	A	B	R	O	U	S							
S	E	N	T	E	N	T	I	O	U	S				

MAKING WINE
Puzzle # 72

M	A	R	C	S	O	A	V	E	L	T	T	O	P	
G	G	C	E	T	S	A	T	R	E	T	F	A		
Y	N	N	T	C	O	M	M	E	R	C	I	A	L	
G	R	I	I	I	F	E	C	A	R					
S	N	O	M	T	V	R	L	I	E	R	A	U	Q	S
Y	I	I	T	O	N	A	I	L	F	O				V
R	E	L	S	A	O	U	T	Z	A	I	N			I
A		T	E	S	S	B	B	I	Z	T	B	I		N
C			I	N	A	N		O	A	S	U	V	I	
U			H	T	R	E			N	N		R	F	
S				W	L	R	P				T		Y	
E	L	I	T	X	E	T	Y	A	M			E		
S	T	R	I	D	E	N	T		B	O				
S	S	E	L	E	N	U	T			M	C			
	R	A	L	U	C	A	N	R	E	P	U	S		

BEAR
Puzzle # 73

```
L E U M A S A F F O R D
S E L E N A R C T O S
B S R C F H G E H F O S T E R
Y R E E U U S G V U R E F E R
  T V E N B T Z R R O R
  O A A H   O Z A I L L     H
    H E S S   V Y H E C I O
      S H T I   E     V   S
  L U F T I U R F R     E T H
E R U S O N Y C A   B     I
K C O L M E H     E   E   L
I M P L I C A T E   B   N E
M A G N A N I M I T Y     A
D E V E I L E R
S A X I F R A G E
```

ELEPHANT
Puzzle # 74

```
N A I P O I H T E M       H
S T I B A H O C   E   H   A
L O   E L E P H A N T I N E R
E A R O B M U J   O O P O V E
  D C I H S     T R P L U M
  I E C T E     Y T O I V
  R F I O A     P O P P U
T U O H A M D M L H I O H Z
I V O R I E S A M L S T A E
K O O M K I E   E A E A N L
E D A R G I V A R G M M T A
M R E D Y H C A P K   U
Y R T N A E G A P   S S
E L B A L L Y S     U
N I P A R R E T   W H I T E
```

SMARTPHONE
Puzzle # 75

```
S   E S A E P P A     D S
G E F   S L B R A I N Y   O M
P N V E   O R E P P I L C L I
T I I A L O P S T Y T E   T R
T E L T W F G M S U A X S   K
E C S L I R I N O E N P E I
S N E D I B I E I C N I E S W
R T O L N F X A   G E T M R
  E U H L A   E     A D A   P
    T S P E H   L     S E
    S H Y T   E     S   N
      I   A N   T   E
      G   P I         M
I N T E L L E C T U A L
S M A R T L Y R
```

STAMP COLLECTING
Puzzle # 76

```
D   N E G A L E R U B     I
G N   G   G C E S S P I T   M
E N A H I I T N U O C S I D P
G G I R O S R E L L A F P   R
L O U L B T E V A R G   R   I
O A V O E L C K R O W G E L N
M   B E G G L H P R I E S T T
N   E R   N E P     S
I     L N   A W O   U
B L O O T   M   H S T   R
U L A N O I G E R C   E
S   H E A D H U N T I N G
R E S E A R C H   T
P R O V I S I O N A L
T R A M P L E
```

WEB DESIGN
Puzzle # 77

M	A	E	B	G		N	D	E	S	I	G	N	D	K
M	Y	S	A	P	O		A	A				W	E	N
E	C	N	A	G	E	L	E	E	M			I	L	O
		L			B	Y	M	A			K	I	W	
S	B	M	U	R	C	D	A	E	R	B	S	I	C	I
M	P		F	M	E	S	H	W	O	R	K	A	N	
P	I	E		N	U		N	L		T		C	G	
A		C	L		G	L		A	U		S	Y		
I		G	R	I	S	A	I	L	L	E	F		I	
N			O	C		S	I		M	L		H		
T			S	A		E	X		I					
		C	N		D	E		W						
	E	M	M	A	R	G	O	R	P		V			
Y	R	T	E	K	C	O	R	P						
S	U	N	B	U	R	S	T		Y					

TREE
Puzzle # 78

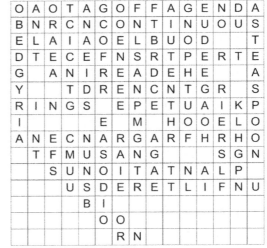

H	E	A	D	T	A	U	S	U	B	O	D			H	R
	P	S	T	F	L	F	O	L	I	A	G	E		I	
E		P	K	H	U	I	L	P			D		M	N	
L	V	L		A	E	N	W	A	E		D		L	G	
	E	E		U	N	O	S	F	A	O		O			
J	A	R	R	A	H	R		C			C		C		
		U	G		I		O		K	H	K				
G			A	R	I	N	D		C						
N	N			L	E	D	O	O	W	N	O	R	I		
P	A	I	D	O	O	W	E	N	I	M	S	A	J		
Z	L	T	N			N	X	E	T	I	V				
	U	U	U	T	R	E	E	L	I	N	E				
	C	M	O	M											
	H		M	A											
		E		K											

CALENDAR
Puzzle # 79

D	N	O	I	G	O	L	O	N	E	M		H		I
I	N	A	I	L	U	M	O	R	T			O		N
W	R	S	T		A	M		T	R	A	P	U		T
A	Y	E	H	S	D	N	E	L	A	K	B	R		E
L	N	G	B	E	O	S	E	S		W	E	E	K	R
I		U	O	M	B	P	O	M	S			S	C	
		M	L	E	A	M	L	O	I			I	A	
		E	O	T	T	O	A	G	D		D	L		
E	L	Y	T	S	R	N	P		C	R	A	O	E	A
			A	E	E			P	R	R				
			L	M	S			E	Y					
C	A	L	E	N	D	R	I	C	A	L		A		
C	O	O	R	D	I	N	A	T	I	O	N		L	
L	A	I	R	I	A	R	P							
S	I	S	O	T	P	M	E	O	R	P				

COFFEE
Puzzle # 80

O	A	O	T	A	G	O	F	F	A	G	E	N	D	A
B	N	R	C	N	C	O	N	T	I	N	U	O	U	S
E	L	A	I	A	O	E	L	B	U	O	D			T
D	T	E	C	E	F	N	S	R	T	P	E	R	T	E
G		A	N	I	R	E	A	D	E	H	E		A	
Y		T	D	R	E	N	C	N	T	G	R		S	
R	I	N	G	S		E	P	E	T	U	A	I	K	P
I			E		M		H	O	O	E	L	O		
A	N	E	C	N	A	R	G	A	R	F	H	R	H	O
	T	F	M	U	S	A	N	G			S	G	N	
		S	U	N	O	I	T	A	T	N	A	L	P	
		U	S	D	E	R	E	T	L	I	F	N	U	
		B	I											
		O	O											
		R	N											

MONKEY
Puzzle # 81

A	D	H	E	R	E	S	C	O	L	O	B	I	N	E
S	Y	A	G	K	P	O	E	H	K	N	I	L		G
P	U	E	D	O	S	R	D	L	A					R
U	T	O	K	A	R	U	I	E	E	M			M	I
N	I		I	N	L	I	M	M	X	T	E		O	V
C	T			R	O	E	L		A	U	A	C	N	E
H	I			U	D	G	L		T	T		K	T
G	U	E	N	O	N	C		A		E		E	W
I	K	I	R	I	M	R	O	L	O	W	A	Y	Y	A
P	R	E	H	E	N	S	I	L	E			S	N
P	R	E	S	B	Y	T	E	R	E	P	E	E	W	D
R	E	L	I	N	Q	U	I	S	H				E
Z	E	P	H	Y	R								R
													O
													O

ANTI AGING
Puzzle # 82

A	A	K	E	B	T	F	O	O	T		J	N	A	G
			T	N	E	P	I	R		A	U	N	A
		F	A	S	C	I	S	T	Y	R	T	R
			G		O		H	E	I	R
D	I	C	A	T	N	A	N		X		A	M	P	I
M	O	N	A	R	C	H	I	A	N	E	W	B	Y	S
Y	D	O	B	I	T	N	A		R		K	E	R	O
R	E	K	R	A	M	O	I	B		I	E	R	E	N
C	O	N	S	I	G	N	M	E	N	T	R	G	T	L
B	E	N	Z	A	L	D	O	X	I	M	E	P	I	A
C	I	T	A	R	C	O	M	E	D		R	U	C	P
E	N	F	E	E	B	L	E			I	N		S
N	E	C	R	O	B	I	O	S	I	S	P	K		E
P	A	C	I	F	I	S	T		E
K	R	A	U	Q	A	T	N	E	P

GERMAN SHEPHERD
Puzzle # 83

K	R	E	N	H	C	U	B	N	N	A	W	H	C	S
E	C	T	E	L	H	C	I	R	I	D		E	Y	U
B	D	R		R	D	A	S	W	I	S	S	G	I	M
U	M	E	A		E	O	R	T	X	E	T	E	D	L
	A	A	H	M	M	T	J	N	E		L	D	A
		R	L	C	S	A	A	O	A	I		I	I	U
			F		S	I	R	C	O	C	N	A	S	T
				N	B	C	A	K	K	N	H
		N	I	R	G	N	E	H	O	L	C
L	U	F	T	W	A	F	F	E		B		U
Z	U	E	R	K	R	E	T	T	I	R	R		C
E	K	H	C	S	T	I	E	R	T		U
C	I	H	P	R	O	M	O	T	U	A		N
L	A	I	T	N	E	T	S	I	X	E			N
S	A	U	E	R	K	R	A	U	T

HOLIDAY
Puzzle # 84

H	K	C	O	R	N	D	H	O	L	S	B	C		V
C	A	M	P	E	R	O	R			E	A		A
		K		L	T	L	I	A		A	T		L
			K		A	A	A	S	C		C	T		E
				U		I	R	T	N		H	E		N
M	U	C	O	L	N		R	B	S	E	Y	R		T
	G	N	I	P	M	A	C	E	E	E	C	Y		I
E	C	R	E	O	C	P	H	E	F	L	F	S		N
N	O	I	T	A	C	Y	A	D	D		E		A	E
O	V	E	R	B	O	O	K	R		A		C
A	R	E	I	V	I	R			T		R
E	D	I	S	A	E	S			A		A
Y	A	D	I	L	O	H	T	S	O	P	K		P
G	N	I	E	E	S	T	H	G	I	S		E
T	O	U	R	I	S	T	Y	A	D	Y	K	R	O	W

SUMMER
Puzzle # 85

B	A	L	D	E	R	N	A	M	A	D	A	V	A	T
C	A	L	A	I	T	D	O	B	L	A	N	D		
O	R	D	M	N	S	A	N	S	Q	U	E	N	C	H
M	D	O	M	I	I	C	L	A	E	R	Y	P	M	E
E	H	R	P	I	S	R	O	D	H	G	R	O	L	L
T	L	O	A		N	I	I	L	R	M	R			
U		B	M	O		T	T	U	O	A	R	A		
P		A	E	B		O	I	Q	R	C	A	S		
I			H	S	E		N	T			A	F		
K				G	I	R		S			L			
L	A	T	N	E	R	U	C	I		A			P	
				A	K	F			M					
M	O	S	Q	U	I	T	O	L						
K	C	E	N	T	H	G	I	A	R	T	S			
W	O	L	L	A	F	Y	R	H	T					

WINE
Puzzle # 86

B	A	C	C	H	A	N	A	L	I	A	D	T	E	S
		G	A	L	A	S	R	A	M		I	R	X	U
C	O	D	E	U	G	N	A	L			O	E	P	P
D	R	A	C	N	Z	A	R	I	H	S	N	B	A	E
H	S	U	L	B	A	B	R	A	N	D	Y	B	N	R
E	C	Y	P	T	H	G	Y			S	I	S	N	
T	R	A	A	S	E	O	R	T		U	A	I	A	
A		O	V	N	I	M	C	A	R		S	N	V	C
Z		T	A	N	R	U	K	G	O		O	E	U	
Z		A		O	C	F	A		P			L		
A			I		D		M				A			
Y	E	N	M	U	R	C		R			O		R	
N	O	O	G	N	A	L	C		A		R			
N	O	I	T	A	L	B	O	A		H		E		
S	I	L	L	A	B	U	B		C		C			

FUNNY
Puzzle # 87

B	E	S	T	R	C	D	A	T	E	D	F	I	O	W
Y	F	L	I	N	E	R	R			J	M	R	A	
	P	U	T		K	A	I		O	P	G	C		
	P	N	U		K	R	C	L		R	R	A	K	
L	A	C	I	N	O	R	I	O	K	Y	D	O	N	Y
			D	Y	K	L	T	C	E		V	I		
M	O	C	T	I	S	M	C	F	S		R	I	Z	
K	I	L	L	I	N	G	A	O	T	C		S	E	
L	I	M	E	R	I	C	K	N	N	O	H	E	D	
H	C	T	E	K	S				K	R				
E	L	B	A	R	U	S	A	E	L	P				
Y	N	N	U	F	N	U								
L	A	C	I	S	M	I	H	W						
W	I	S	E	C	R	A	C	K						

HEALTHY SNACKS
Puzzle # 88

C	M	U	I	C	L	A	C	B	U	R	E	H	C	G
Y	I	G	E	H	H	Y	K	C	I	D		Y	R	A
L	S	L	N	T	S	O	D	N			D	O	M	
P	O	P	O	I	A	U	W	R	O		R	U	E	
	R	O	E	H	L	D	L		A	S		A	T	L
		U	K	L	O	I	I	F		H	H	T	E	Y
		N		A	C	A	R	O	T	T	E	N		
W	E	L	L	E		T	L	F	O			R		
A	R	T	S	E	L	O	A	A		U				
E	M	O	S	E	L	A	H	C			L			
M	I	C	R	O	F	L	O	R	A			F		
E	L	I	T	R	A	U	Q	Y	N	W	A	R	C	S
E	N	I	M	A	I	H	T							
E	M	O	S	E	L	O	H	W						

FISH
Puzzle # 89

```
R E L G N A B C A T C H       D
C E D C O C H L I O D O N T R
D R B L G U E N A H       H A
N I A R O A R R G Y S     E F
P A P B A K M N G E   A   R T
U L N   B C E E A G     D R
F   A E     U F T E E     I
F     H U     C I T M     N
E   Y E R P S O   G S O   G
R       E T     N H H
S U O R O V I C S I P I   S
E R I U Q S     O       S
  A I S I N E I L L O M   I
S P E A R F I S H   O       R
E K I R T S         H
```

LOVE POETRY
Puzzle # 90

```
O C O L E R I D G I A N C
D C H M I A L C E D D R O N E
I Y O A G G G M   P     U
N   G Q R O R N I   I   P
L O S E U I N A I S O C L
      N L E T E D K L T E
      T O E T Y D U A I T
      C I   R R E S M N O
K I N D N E S S Y T P     E M
        L N     E I
T N A I D A R G A     O M
C I T N A M O R E C     P E
R E T S E M Y H R N S       S
S A R A S W A T I
S U P P O R T
```

SHARK
Puzzle # 91

```
S N A E Y E G I B F I S H   M
T U A T C D E L C I T N E D O
H N T I T N E H S I F X O F N
N A O N C E U M R R         S
  O W I O E N O O A O       T
    I K C D P T B I M O     E
    T S A O O I   S B T   R
    A T R R L V   E L
      N I T E A E   L E
H U M A N T I N S T   L   L
S L A S H E R G K E E   Y   E
D R O L D N A L A A C H
R H I N O D O N   M R
H S I K R A H S     I D
S P E A R E Y E H S I F N U S
```

KIDS
Puzzle # 92

```
K   E   D I N K Y E A R F U L
F N   L E D E I Z N E R F M O
R H A T B R O T A I D E M E P
I O C P U A L N I P S B R R I
S L V T D B T E E     U A R N
K   O E E   E S S L   S U Y E
      O R V   R E S G   C
T H E N H Z K     T A G O
          C E     E P U     W
            S A     D S M E
R E L I A N T E L       P   S
U L T I M A T E R O     R   T
              P U   O   E
S I M U L T A N E O U S U   R
                    T   N
```

127

FOOTBALL
Puzzle # 93

K	G	H	T		C	L	E	A	R	E	D	I	W	
N	C	A	O	N	H	K	C	A	B	K	C	A	R	C
G	O	O	T	M	E	P	C			P	H			S
A	N	I	L	E	E	M	R	A		O	E			N
L	T	E	S	B	R	C	O	O	B	O	A			A
A		O	E	S	N	E	O	F	M	L	D			P
C			O	R	U	O	C	M	E	E	L			P
T			H	C	C	I	A	I	L	D	U			E
I			S	S	N	T	R	N	B	I	F	R		
C	P	E	L	T	E	R	S	O	A	R	G	E	O	
O	R	E	L	E	A	S	E		C	G	E		R	S
E	S	R	E	V	E	R				E	T			T
V	I	S	I	T	O	R	B				L			
					E					E				
						Z				R				

MAPS
Puzzle # 94

F	H	Y	H	P	A	R	G	O	T	R	A	C	C	K
I	E	Y	N	C	F	R	E	E	B	I	E	O	O	N
L	V	M	D	O	O	Y	R	E	V	I	R	M	P	E
O	E	G	S	R	I	S	H		L			P	Y	E
F	L		R	I	A	T	M	P		A		A	R	B
A	I			A	H		A	O	A		C	S	I	O
X	U			P	P		L	G	R		S	G	A	
	S	Z	O	N	E	H	R		L	R	G		H	R
N	A	V	I	G	A	T	I	O	N	O	A	O	T	D
L	A	C	I	T	U	A	N	C	M		C	P	R	
K	O	O	B	E	D	I	U	G	A	O			H	O
P	A	N	T	O	G	R	A	P	H	C	D			Y
P	A	M	O	T	O	H	P			Y	N			
P	R	E	D	I	C	T	I	O	N			E		
R	O	Y	E	V	R	U	S							

POLICE
Puzzle # 95

P	Q	U	E	S	T	U	R	A	C	O	U	G	H	T
A	S	R	D	E	A	D	D		A	H				W
	C	N	E	R	M			I	R		A			O
	P	C	I	P	A	R			A			R		C
	U	E		P	L	A		B	R			G		
		E	S	I	O	U	D	I	H	T	A	L	E	
		N	S	N	C	C	N				O	S		
M	R	O	F	N	I	O	T		I	E		C	Q	
K	E	T	T	L	E	L	R	E	E	T	G		K	U
E	R	U	C	E	S	N	I	Y	R		R		U	A
D	A	E	H	T	A	E	M		E	V		A	P	D
E	R	I	A	S	S	I	M	M	O	C	I		P	D
S	R	E	T	R	A	U	Q	D	A	E	H	E		E
D	E	Z	I	R	A	T	I	L	I	M		W	R	
S	U	R	R	O	U	N	D							

QUIT SMOKING
Puzzle # 96

N	W	O	L	L	A	E	B	E	K	C	U	R	E	D
B	O	T	H	E	T	N	R	A	T	L				I
S	A	I	E	C	L	I	O	A	C	O	A			V
M		R	T	M	U	T	B	S	W	C	L	H		A
O		B	C	U	A	T	A	A	A	Y	B	C	N	
K			E	I	L	B	O	H	E					
E			C	D	A	E	D		S					
E	C	I	T	O	N	U	D	C	D					
E	K	A	S	R	O	F	E	A	E	V	L	E	H	S
C	O	R	R	E	L	A	T	I	O	N				T
L	E	U	K	O	P	L	A	K	I	A				R
H	S	I	U	Q	N	I	L	E	R					I
S	M	O	K	E	S	T	A	N	D					K
N	O	E	G	D	I	W								E
W	I	L	L	P	O	W	E	R						

WOMEN
Puzzle # 97

B	H	L	A	N	O	I	T	A	T	S	E	G		L
U	S	S	M	Y	I	D	N	I	K	Y	D	A	L	O
S	M	C	A	O	R	M		C				N	Z	
K	A	I	I	G	P	O	M		U			I	E	
I	N		A	R		L	I	I		B		G	N	
N	T		K	T		A	R	W		U		H	G	
	E	T	A	N	K	A		H	P		S	T	E	
	E	G	N	I	L	L	I	K	Y	D	A	L	D	
	L	N	U	B	I	L	E	N			R			
E	T	O	G	N	I	D	E	R	Y		E			
S	C	I	R	T	E	T	S	B	O	G		S		
M	U	L	I	E	R	O	S	I	T	Y		S		
T	E	H	I	N	N	A	H	T	O	A	S	T	E	R
E	E	P	O	L	L	O	R	T	V	I	R	T	U	E
U	N	F	E	M	I	N	I	N	E					

AIRPORT
Puzzle # 98

C	G	K	E	N	N	E	D	Y	A	I	R	W	A	Y
R	A	S	I	A	S	P	H	A	L	T	B	R	U	C
O	T	N	T	V	C	M	O	O	R	K	C	E	H	C
Y	W	E	N	A	A	H	R	E	D	N	A	G		
D	I	D	C	O	N	L	A	G	L	I	T	C	H	
O	C	P	N	A	U	S	F	N	P	U	K	C	I	P
N	K	P	O	U	R	N	T	E	N	T	R	O	P	
		C	R	P	O	G	C	E	K	E				
		A	O	U	B		E	D		L				
		T	D	L	N	R	E	S	U	L	T			
H	C	R	A	E	S	U	O	I	S	K	Y	C	A	P
Y	E	L	L	O	R	T	C	U	W	E	I	G	H	
						E	S							

SALAD
Puzzle # 99

T	E	A	Y	V	O	H	C	N	A	E	H	C	A	M
C	E	T	M	A	L	O	B	M	A	R	A	C		
E	A	N	A	B	P	G	E	M	U	L	S	I	O	N
H	G	R	R	U	R	O	N	E	C	U	T	T	E	L
E	D	R	R	U	T	O	L	I	D	A	L	A	S	R
R	N	R	A	O	B	N	S	L	S	W				E
B	S	I	A	H	T		E	I	O	S	A			F
I	A		O	H	C		C	A	D	E	L			I
V	L		D	S			C		R	S	N			
O	L		R	E	M	O	U	L	A	D	E	D	E	
R	E	E	M	E	S	C	L	U	N				M	
E	T	O	R		P	A	T	H	O	G	E	N	E	
	I		C	R		M						N		
	N		A	O	H	E	L	U	O	B	B	A	T	
	G		T	S										

TELEVISION
Puzzle # 100

V	A	N	I	M	E	C	A	T	C	H	Y			D
	T	X	D	F	R	L	E	T	N		S			I
		A	O	R	O	E	B	K	P	E		I		D
			M	B	A	R	F	A	A	M	M		D	D
L	A	I	C	R	E	M	M	O	C	M	O	M		L
F	R	O	S	T		L	A	A	O			R	O	E
G	R	A	P	H	I	C	G		T	D		P	C	
N	E	E	R	C	S		G				R	T		
	L	A	I	C	R	E	M	R	O	F	N	I	O	E
N	E	W	S	C	A	S	T	E	R	G		G	L	
Y	R	E	P	R	O	D	U	C	E		R	L		
	A	N	O	I	T	U	L	O	S	E	R	A	Y	
	L	S	C	R	E	E	N	I	N	G	M			
	E								M					
	R						E							

129

Part 2

Puzzle #1

RESTAURANT

```
H  T  O  O  B  A  T  M  O  S  P  H  E  R  E
L  E  B  O  U  N  C  E  R  H  C  B  I  C  P
C  E  T  B  R  E  A  S  T  A  U  R  A  N  T
H  C  B  T  K  T  S  E  U  G  S  G  K  F  M
E  O  O  A  E  O  E  E  E  R  T  N  E  O  I
C  F  S  N  B  U  O  K  G  L  O  Y  R  O  S
K  F  D  T  C  Q  Q  C  I  A  M  X  U  D  L
S  E  J  N  E  H  O  N  X  L  P  F  R  E  E
P  E  H  W  E  S  U  T  A  S  Y  X  D  R  A
E  H  Z  B  R  T  S  G  P  B  S  D  R  Y  D
C  O  Y  R  A  N  I  D  R  O  U  C  A  B  C
I  U  R  O  S  T  I  C  C  E  R  I  A  L  E
A  S  R  O  T  I  S  S  E  R  I  E  A  X  T
L  E  F  F  I  R  A  T  I  K  N  J  I  F  Y
T  E  S  T  I  M  O  N  I  A  L  L  O  M  N
```

ATMOSPHERE	COOK	PAGE
BABEL	CUSTOM	ROSTICCERIA
BANQUETTE	ENTREE	ROTISSERIE
BOOTH	FOODERY	SPECIAL
BOUNCER	GUEST	TARIFF
BREASTAURANT	HOSTESS	TEND
CHECK	LADYLIKE	TESTIMONIAL
COFFEEHOUSE	MISLEAD	
CONCH	ORDINARY	

SMARTPHONE

```
I  S  D  N  L  B  D  E  V  I  C  E  M  A  L
N  D  A  P  Y  E  K  E  L  W  O  N  K  M  U
T  L  K  O  S  E  T  E  G  I  N  M  U  I  I
E  O  O  J  B  P  P  F  M  A  F  Y  J  S  A
R  H  P  C  M  E  I  B  O  M  G  A  A  C  B
F  K  Y  T  K  R  G  A  L  L  A  N  T  H  N
A  T  X  T  I  O  V  E  R  O  M  F  E  I  J
C  S  L  O  W  O  R  E  B  B  U  H  P  E  Q
E  N  O  T  Y  C  N  U  A  R  P  S  F  V  K
P  L  A  Y  L  I  S  T  M  G  R  B  C  O  H
R  O  B  O  C  A  L  L  J  L  T  I  N  U  P
E  B  I  R  C  S  B  U  S  S  U  E  U  S  F
D  E  H  S  I  L  B  U  P  N  U  S  K  V  N
W  R  I  T  I  N  G  K  P  X  F  I  H  X  B
N  I  Y  U  N  F  T  H  J  Q  C  S  G  T  C
```

BEEPER	LAME	ROBOCALL
DEVICE	LOCK	SLOW
ENGAGED	MISCHIEVOUS	SPRAUNCY
FILE	MOBIE	SUBSCRIBE
GALLANT	OFTEL	TONE
INTERFACE	OPTION	UNPUBLISHED
ISDN	OVER	WRITING
KEYPAD	PHUBBER	
KNOW	PLAYLIST	

NEWS

```
B   C   R   C   H   I   L   L   D   R   A   W   O   C   E
V   A   H   O   D   O   A   R   B   E   T   O   W   N   M
Z   T   N   E   S   I   U   I   U   A   T   W   J   G   B
P   C   V   N   Q   N   S   R   N   F   F   I   R   G   E
Y   H   F   R   E   U   E   C   L   A   F   G   D   U   D
V   M   R   S   O   R   E   C   O   Y   M   L   S   E   W
P   I   S   S   O   G   U   B   C   U   U   O   E   M   V
N   O   V   E   L   I   S   T   O   O   N   X   F   T   Y
T   E   L   H   P   M   A   P   E   O   Z   T   P   N   V
M   E   L   A   N   C   H   O   L   Y   K   O   L   E   I
I   N   D   I   F   F   E   R   E   N   T   H   A   S   D
E   G   E   L   I   V   I   R   P   W   R   Q   S   W   P
C   N   U   N   D   I   U   Q   P   L   K   A   T   H   R
S   P   E   E   C   H   L   E   S   S   Z   R   E   R   I
U   N   P   E   R   S   O   N   L   Y   L   I   R   A   W
```

BANNER	GOSSIP	PRIVILEGE
CATCH	GRIFF	QUIDNUNC
CENSOR	HOURLY	RUFFLE
CHEQUEBOOK	INDIFFERENT	SPEECHLESS
CHILL	INFOMANIA	TOWN
COWARD	MELANCHOLY	UNPERSON
DISCOUNT	NOVELIST	WARILY
EDITED	PAMPHLET	
EMBED	PLASTER	

GARAGE SALES

```
B  U  M  F  C  Y  D  E  G  A  M  E  H  S  J
A  C  F  T  R  A  N  O  V  T  E  K  R  A  M
R  L  O  R  M  E  N  N  L  I  W  K  N  I  P
N  U  M  N  E  U  C  N  E  D  R  S  R  P  H
S  L  U  Y  S  S  N  E  I  P  R  D  Y  R  Z
O  L  T  U  G  I  T  A  S  B  H  U  Q  O  Y
F  Q  T  I  H  A  G  E  M  S  A  C  M  M  V
T  W  E  T  H  I  N  N  R  W  I  L  T  O  F
A  M  R  M  L  U  X  H  M  R  O  O  I  A  Z
G  N  I  K  R  A  P  N  U  E  I  T  N  Z  C
N  O  I  S  N  E  P  S  U  S  N  T  O  J  E
R  E  K  L  A  W  R  O  O  L  F  T  O  G  V
T  U  R  N  T  A  B  L  E  B  F  X  G  R  Y
C  S  H  M  G  B  L  F  M  N  U  B  G  E  Y
U  C  L  F  X  Q  D  U  L  C  A  H  D  P  U
```

BARN	HIRE	SERF
BUMF	LULL	SOFT
CANNIBALIZE	MARKET	SUSPENSION
CATCHPENNY	MEGAHIT	TERRITORY
CONSIGNMENT	MUTTER	THIN
DOLDRUM	PARKING	TOWMAN
DRIVE	PINK	TURNTABLE
FLOORWALKER	PROMO	
GAME	RECESSION	

INTERNET

```
E  X  T  E  K  S  A  B  E  O  M  C  C  L  T
R  L  U  C  R  D  D  I  U  K  X  O  Y  I  I
D  E  G  N  R  E  G  E  B  M  K  N  B  N  M
T  N  L  O  I  O  T  N  A  Q  P  V  E  K  E
L  O  A  L  O  L  W  A  I  X  F  E  R  C  O
L  B  B  L  E  G  E  D  H  M  Z  R  S  B  U
Z  P  R  W  R  S  E  L  S  B  A  G  E  J  T
F  D  U  Z  O  E  K  R  B  O  G  E  X  F  U
L  F  T  O  R  N  B  O  A  A  U  D  R  I  F
N  E  W  B  I  E  K  Y  O  W  E  R  W  T  N
T  R  O  P  A  T  A  D  C  B  Y  R  C  L  S
R  E  M  M  O  C  T  O  D  O  N  P  A  E  R
M  A  L  V  E  R  T  I  S  I  N  G  S  H  P
M  R  O  F  T  A  L  P  I  A  L  E  L  Z  S
P  U  B  L  I  C  A  T  I  O  N  T  S  P  Q
```

BASKET	DOTCOMMER	PLATFORM
BOOKSELLER	GOOGLE	PUBLICATION
BUMP	HATER	ROTFL
CONVERGED	KNOWBOT	SHAREABLE
CROWDSOURCE	LINK	SPYWARE
CYBERLAND	LINUX	STREAMING
CYBERSEX	MALVERTISING	TIMEOUT
DATAPORT	NEWBIE	

SWIMMING

```
C  D  I  D  O  P  E  P  O  C  F  P  H  Z  G
R  H  C  E  T  N  M  K  U  M  I  L  Y  F  A
H  E  E  Y  U  E  I  A  C  W  S  U  O  C  L
A  D  L  M  P  R  N  O  R  I  H  N  V  C  A
U  R  E  P  O  H  Y  N  J  C  K  G  E  S  K
R  D  I  R  U  T  O  P  A  H  H  E  L  T  T
I  V  C  E  A  O  A  N  T  G  P  R  I  R  R
E  Q  Z  B  U  O  C  X  A  E  G  K  G  O  A
N  A  I  D  I  R  E  M  I  U  R  M  E  B  N
T  E  T  A  L  I  B  U  J  S  T  I  R  I  A
G  L  A  U  C  O  T  H  O  E  E  E  D  L  T
L  A  N  O  I  T  A  T  A  N  N  O  S  A  I
E  D  I  S  L  O  O  P  Q  G  H  W  N  G  O
R  E  S  P  E  C  T  I  V  E  L  Y  P  K  N
E  R  O  H  P  O  N  O  H  P  I  S  A  B  O
```

CHEMOTAXIS	GANNET	PLUNGE
COPEPODID	GLAUCOTHOE	POOLSIDE
COUPLER	HAURIENT	RESPECTIVELY
CRAMP	JOIN	SIPHONOPHORE
CYPHONAUTES	JUBILATE	STROBILA
EURYPTERID	KICK	TRANATION
FISH	MERIDIAN	VELIGER
FLOCK	NATATIONAL	
GALA	OARED	

SLOW DOWN

```
B  E  R  A  T  T  L  E  T  C  E  R  R  O  C
C  Y  O  E  U  G  O  R  D  O  R  Y  X  B  K
F  R  R  P  C  E  X  S  V  U  S  A  E  A  E
I  A  O  C  M  I  C  E  Y  C  L  C  W  B  E
N  V  C  C  N  E  G  G  H  O  L  Z  L  P
T  I  A  E  K  W  T  R  E  D  L  U  O  M  Y
O  Q  A  N  D  P  O  N  A  O  N  R  O  C  S
N  P  I  R  C  O  O  D  W  H  A  M  V  T  W
E  T  N  U  T  S  W  T  X  O  T  J  E  O  R
H  C  N  I  U  Q  S  N  G  X  D  E  R  D  I
G  R  A  V  I  G  R  A  D  E  N  M  L  D  T
S  T  R  A  T  H  S  P  E  Y  Y  E  O  L  E
U  P  S  Y  T  U  R  V  Y  R  P  F  O  E  U
N  E  L  L  A  F  D  N  I  W  L  Q  K  G  I
D  J  Q  V  X  Y  E  J  S  M  D  Y  U  V  D
```

BERATTLE	FACEDOWN	SQUINCH
CORRECT	GRAVIGRADE	STRATHSPEY
COUCH	INTONE	STUNT
CRAWLY	KEEP	TODDLE
CROCKPOT	LETHARGIC	UPSYTURVY
DOWNCRY	MOULDER	WINDFALLEN
DOWNTEMPO	OVERLOOK	WRITE
DROGUE	RAIN	
DULL	SCORN	

Puzzle #8

SOLDIER

```
A N C H E T N I K O U T R A M
K W E G L O U C E S T E R P B
Y I O L Y Y C A P I T A N O L
D R L L L T A I Z A H G T L U
I V A R E A N U T N I C E L E
S T Y I O T J U T E G D E I Y
B A S K L Y T E O E E P T O D
A D P A C I K E H B Y S B W D
N I I T T A X N L E V Z O N E
D G B Z E L S U A U S D D G V
B A V V Q U E R A P A E E V N
T N E M Y O L P E D S P E I I
N A M S D R A U G V H A E W L
S E R V I T O R I S A K C F R
D R E T O O H S P R A H S K T
```

ALLEN   DEPLOYMENT   KILROY
AUXILIARY   DISBAND   KNAPSACK
AWOL   EPAULETTE   LYAUTEY
BLUE   EVZONE   OUTRAM
BOUNTY   GHAZI   PELTAST
CAPITANO   GLOUCESTER   POLLIO
CHETNIK   GUARDSMAN   SERVITOR
CITE   HAVERSACK   SHARPSHOOTER

Puzzle #9

CHAMPION

```
I E T N A Y R B F I S C H E R
H N N F I T T I P A L D I S P
Y E I I R X X E E C N A G H U
Y D N T H E V B R Q A Z V E N
C E E D S K K U R U V N D E Y
C I N N R O E S Y I R R F N R
R R T N N Y G L A T A D L E H
N E O E U E F A A L T F L O W
P A D W L T K D G N I R A E B
M D M A N H K G U H L J F U D
Y K Y E S U T N C V O K Z U K
I F O C R U N A I X V I H G S
G H A Z I O R Y F G A M I I L
G E N I U S F C E X H E X C L
S B B P R O C L A M A T I O N
```

ACQUIT
AGOSTINI
ALEKHINE
ATHLETIC
BEARING
BRYANT
CROWN
CRUSADER
FISCHER

FITTIPALDI
FLOW
FOREMAN
GENIUS
GHAZI
HENDRY
KENNEDY
KNIGHT
LASKER

LAVER
NAVRATILOVA
PERRY
PROCLAMATION
PUNY
SHEENE
TUNNEY

SCHOOL

```
E  R  A  C  R  E  T  F  A  W  M  P  X  P  I
B  L  A  Z  E  R  K  S  C  H  O  R  M  D  N
G  R  A  M  M  A  R  O  N  O  S  L  O  S  H
R  R  S  Y  O  A  D  E  R  O  N  O  L  F  O
E  S  O  C  R  O  T  N  L  B  M  V  R  A  S
C  I  O  U  H  E  R  R  O  B  X  M  E  F  P
E  C  S  P  N  O  L  E  I  C  A  M  O  N  I
P  K  T  J  H  D  O  O  M  C  E  T  B  C  T
T  B  U  V  B  O  S  L  O  O  U  S  S  D  A
I  A  D  X  U  D  M  B  A  H  H  L  I  W  L
O  Y  Y  I  Y  H  J  O  A  B  C  P  A  B  R
N  T  N  E  D  U  T  S  R  R  L  S  Y  T  Q
T  R  U  A  N  C  Y  B  Q  E  U  E  X  K  E
U  N  S  E  C  T  A  R  I  A  N  T  C  D  V
V  A  R  S  I  T  Y  F  Q  K  Q  F  Z  R  R
```

AFTERCARE	GROUNDS	SOPHOMORE
ALLOW	HOMEROOM	STABLE
BLAZER	HOSPITAL	STUDENT
BROKE	MATRICULATE	STUDY
COMMONS	RECEPTION	TRUANCY
CONVENT	SCHOOLABLE	UNSECTARIAN
FORM	SCHOOLERY	VARSITY
FROSH	SECOND	
GRAMMAR	SICKBAY	

URBAN FARMING

```
H  N  O  T  L  A  H  S  R  A  C  D  D  I  V
Y  S  N  P  Z  A  N  C  P  O  L  E  A  N  E
M  H  I  A  O  B  N  I  T  K  N  L  R  S  W
Z  F  X  M  B  O  V  D  A  U  Y  M  K  U  Z
P  D  E  G  A  R  R  A  B  R  D  A  T  L  D
H  O  R  N  C  H  U  R  C  H  D  S  O  T  E
J  E  R  S  E  Y  A  R  E  L  O  F  W  T  K
Q  M  M  K  P  L  E  L  E  C  O  O  N  E  C
N  A  H  I  C  M  P  A  E  T  U  O  D  O  S
P  Q  E  F  L  A  R  U  R  G  N  D  T  D  J
A  I  P  O  T  B  U  S  V  W  F  I  O  K  A
G  N  I  D  L  O  H  L  L  A  M  S  O  R  N
E  P  A  C  S  N  A  B  R  U  U  J  R  H  P
R  O  T  C  E  V  M  S  I  G  A  L  L  I  V
O  Y  W  K  M  I  V  C  Y  X  A  O  Y  O  T
```

AMISH	HORNCHURCH	SMALLHOLDING
BARRAGE	INSULT	SUBTOPIA
CARSHALTON	INTERURBAN	TOOL
DARKTOWN	JERSEY	URBANSCAPE
DELMAS	LAND	VECTOR
DRAIN	LIME	VILLAGISM
DUTCH	POOR	YEAR
HALE	PRODUCER	
HOOD	RURAL	

140

STRING ART

```
A  N  I  L  O  I  V  A  S  T  R  A  G  A  L
Y  C  W  N  Y  C  O  R  D  T  E  H  Q  D  W
E  D  O  O  O  R  T  H  L  C  Y  S  A  I  Q
S  R  E  N  D  I  E  I  I  P  E  C  Z  S  G
X  I  O  M  F  K  T  K  E  H  L  R  B  S  P
O  J  L  T  O  I  A  A  O  D  E  A  N  E  T
R  E  W  L  I  C  T  E  R  O  T  P  Q  M  H
A  F  M  U  I  C  A  U  R  U  C  E  S  B  V
H  P  S  Z  H  F  A  T  R  B  J  Q  J  L  B
E  L  O  C  U  T  I  O  N  E  I  N  U  A  L
D  S  Y  N  T  A  G  M  A  I  T  F  O  N  L
G  A  M  E  C  H  A  N  I  C  O  Y  J  C  X
P  H  A  R  M  A  C  Y  E  W  L  P  I  E  Y
T  S  I  L  A  E  R  I  J  L  X  O  F  N  L
Y  R  T  E  M  O  H  T  R  O  V  N  U  B  G
```

ASTRAGAL	ELOCUTION	PHARMACY
BREAKDOWN	EROTICA	POINT
COMEDY	EYELET	REALIST
CONFITURE	FILLIS	SCRAPE
CONJURATION	HASP	SYNTAGM
COOKERY	LENGTH	TIED
CORD	MECHANIC	TYING
DISSEMBLANCE	ORTHOMETRY	VIOLINA

WINE MAKING

```
Z  T  I  W  O  L  R  A  C  B  G  H  B  N  P
L  T  S  P  R  I  C  K  H  O  U  O  R  E  O
G  O  U  U  B  Y  M  V  A  U  E  L  E  L  T
X  B  H  R  O  X  S  F  M  Q  S  O  A  L  T
H  R  M  O  B  I  Y  N  B  U  S  G  K  Y  E
O  V  I  O  C  G  M  H  E  E  W  R  T  P  R
H  G  U  O  R  L  P  E  R  T  O  A  H  R  Y
W  I  N  K  L  E  A  R  T  G  R  P  R  I  S
G  N  I  D  N  I  L  B  I  S  K  H  O  N  I
Y  G  O  L  O  R  O  H  N  M  B  Y  U  T  L
E  T  A  R  C  E  S  N  O  C  E  A  G  L  E
E  L  D  E  R  B  E  R  R  Y  T  U  H  E  N
F  E  C  U  N  D  A  T  I  V  E  S  R  S  T
P  E  R  F  U  M  E  R  Y  O  Q  N  D  S  L
P  E  T  I  T  I  O  N  A  R  Y  H  H  C  Y
```

ABSTEMIOUS	CONSECRATE	PETITIONARY
ALCOHOL	ELDERBERRY	POTTERY
BLINDING	FECUNDATIVE	PRICK
BOUQUET	GUESSWORK	PRIMEUR
BREAKTHROUGH	HOLOGRAPHY	PRINTLESS
BRUT	HOROLOGY	ROUGH
CARLOWITZ	NELLY	SILENTLY
CHAMBERTIN	PERFUMERY	WINKLE

WIND SURFING

```
G  H  L  E  N  N  A  H  C  P  M  H  H  A  V
C  N  T  N  A  D  L  H  H  S  O  O  L  Z  Z
F  O  I  A  A  S  D  R  I  F  T  W  I  N  D
G  R  N  T  E  I  T  Y  L  M  W  L  K  Q  S
G  N  O  T  I  R  L  E  L  A  Q  I  E  U  O
E  Y  I  N  R  B  B  O  R  R  Y  N  C  A  U
S  R  M  N  T  A  E  W  E  L  Y  G  K  R  T
Y  C  O  K  R  S  R  E  I  I  Y  O  L  T  H
W  D  U  H  H  E  I  Y  T  N  T  D  E  E  W
E  O  O  D  S  A  V  D  Z  E  D  B  M  R  E
A  S  Q  O  Y  F  N  O  E  B  R  Y  Y  R  S
T  F  B  Q  W  Z  F  A  G  F  U  O  E  U  T
H  O  N  K  B  T  A  O  B  L  I  A  S  K  E
E  L  B  A  F  R  U  S  S  Q  K  S  M  J  R
R  Y  L  R  E  H  T  A  E  W  S  O  G  R  R
```

BITING	FRONTSIDE	SAILBOAT
BREATH	GOVERNING	SCUD
CHANNEL	GYMKHANA	SOUTHWESTER
CHILL	HOWLING	SURFABLE
CONTRARY	KECKLE	WEATHER
DRIFTWIND	MARLINE	WEATHERLY
EASTERLY	OFFSHORE	WINDY
EOLIAN	QUARTER	WOODY

BOXING

```
D  G  N  I  R  A  E  B  L  A  C  K  O  U  T
C  E  C  H  A  L  L  E  N  G  E  R  Z  K  A
R  O  D  R  E  T  N  U  O  C  F  A  C  E  R
Y  E  N  N  F  I  S  T  I  A  N  A  L  S  K
E  C  N  C  A  O  R  E  K  A  M  Y  A  H  I
X  S  N  R  U  H  U  L  E  A  D  R  I  A  C
B  L  R  A  O  S  E  L  T  A  R  E  X  D  K
D  S  N  U  F  C  S  R  T  N  C  A  B  O  B
C  D  N  E  P  U  W  I  A  O  H  C  J  W  O
R  E  T  O  M  O  R  P  O  B  U  H  K  B  X
P  U  G  I  L  A  N  T  R  N  R  R  F  O  I
R  E  K  A  M  H  C  T  A  M  R  J  N  X  N
E  C  E  I  P  H  T  U  O  M  R  N  A  E  G
Y  R  A  N  I  M  I  L  E  R  P  B  C  D  Y
D  E  I  F  I  N  U  E  F  J  N  U  U  H  C
```

BAREHANDED	FISTIANA	PUGILANT
BEARING	FOUL	PURSE
BLACKOUT	HAYMAKER	REACH
CHALLENGER	KICKBOXING	SHADOWBOX
CONCUSSION	LEAD	TOURNEY
CORNER	MATCHMAKER	UNIFIED
COUNTER	MOUTHPIECE	UPEND
FACER	PRELIMINARY	
FANCY	PROMOTER	

SHEEP

```
A D L O W S T O C L O N K B B
F N T E U K Q S E N I V O L U
R E G F R N O T U O M U J O R
I O N L E U R F L B K L S W R
K N W O E H N U H E W C H N H
A S I L B B J A C K E R O O E
N H X D I E E V M K C X U T L
D E H Q D N L R S T E L L G S
E E W I C O G K R K D C D S S
R P S C H X R Q C Y W O E G Z
Q B W O O L E D P U G R R K V
Q I G O D P E E H S N I R I N
R T S K I R T I N G S K U M N
G E S T U D M A S T E R S L M
G N I L R A E Y I U R H M S Q
```

AFRIKANDER	LONK	SHOULDER
ANGLEBERRY	MANURE	SKIRTINGS
BLOWN	MOUTON	STELL
BURRHEL	OVINE	STOCK
BUST	OWLING	STUDMASTER
COTSWOLD	RODDIN	WOOLED
HEFT	RUCK	YEARLING
JACKEROO	SHEEPBITE	
KNUCKLEBONE	SHEEPDOG	

Puzzle #17

TRAIN

```
T L A N I M G A T H G I L A V
C N R A C X O B H E L I F A C
U O E N W O D K A E R B I S S
R D A D E G R A H C S I D E O
L K I L I T J E G U A G K A C
E L R S E C O M D O N T O T I
F G U A C R M A N A G E R A
H R N P B I P A R Y E M C W L
C V U A B M P X R A O F W Y I
J N Q S R O E L K E T R I V Z
Z T T T K P G S E G T T A A E
J L E I P S G E I R K R L L E
K C A R T E D I S D R W A E H
C I P V E E X O H L K Z D C U
E Y I U L J B T T I D B H L K
```

ACCIDENT
AGMINAL
ALIGHT
BOXCAR
BREAKDOWN
CAFILEH
COALER
CURL
DISCHARGE

DISCIPLE
DISEMBARK
FENDER
GAUGE
KRIEGSPIEL
MANAGER
MAYORAL
ONTO
PULL

RANGE
RATTLE
RETRACK
SEAT
SIDETRACK
SOCIALIZE
SURF

STUDENT

```
T E T A R E L E C C A D R I P
A S D N E T T A G J S E U N R
R S I R T Y H E L L S P N D O
A E S N E S A K F O E U O I B
N M H I I G I S P X M T L G A
R R M C G T E C S W B I O N T
W O E A N N L I E L Z G A I
Q T J V G E M A L T Y E I T O
V W L A O E B E Z O O R S I N
P W G I M G W K N Y C M T O E
R E F E R I U X C T B K E N R
T S I G O L O H T A P E E D W
M U C I T C A R P V B S N S O
Y H P A R G O N H T E X S P R
M E D I E V A L I S T Y O T S
```

ACCELERATE	DEPUTIZE	MEDIEVALIST
ASSEMBLY	ESSAY	PATHOLOGIST
ASSIGNMENT	ETHNOGRAPHY	PRACTICUM
ATTEND	GAMMA	PROBATIONER
BACKBENCHER	GOVERN	REFER
BYZANTINIST	HELL	RUNOLOGIST
COLLEGER	INDIGNATION	
DEMOTICIST	MAJOR	

Puzzle #19

FUNNY

```
L  F  O  R  S  T  R  E  I  S  A  N  D  C  H
D  R  A  C  I  A  R  C  D  R  Y  L  Y  H  I
Y  L  F  T  I  E  C  R  A  F  W  S  P  E  L
P  L  A  U  S  M  D  E  J  J  P  P  L  E  A
H  A  E  C  N  I  A  E  P  Y  Q  O  E  R  R
A  H  T  M  I  N  R  N  C  I  G  O  A  Y  I
K  H  Y  T  E  C  I  O  Y  E  R  F  S  R  O
F  O  E  V  E  R  R  M  M  D  R  V  U  K  U
Y  L  L  A  S  R  T  A  E  U  G  P  R  M  S
R  I  S  I  B  L  E  X  F  N  H  G  A  W  N
C  I  R  E  T  S  Y  H  E  O  T  H  B  D  W
Y  S  A  R  C  N  Y  S  O  I  D  I  L  P  O
R  O  L  L  I  C  K  I  N  G  E  I  E  I  U
Y  P  P  A  N  S  T  H  E  A  T  E  R  S  A
W  L  V  Y  A  S  X  R  K  Z  R  E  C  R  L
```

CARD	HILARIOUS	ROFL
CHEERY	HUMORIST	ROLLICKING
CRAIC	HYSTERIC	SALLY
DRYLY	IDIOSYNCRASY	SNAPPY
DYNAMIC	PATTER	SPOOF
EXTREMELY	PLEASURABLE	STREISAND
FARCE	PRECEDE	THEATER
FARCICAL	RIPE	
FUNNIMENT	RISIBLE	

BASEBALL

```
M  C  C  A  R  T  H  Y  R  Y  A  N  Y  R  T
X  O  B  D  N  A  B  D  A  E  D  T  S  U  D
C  R  F  H  R  K  T  O  M  W  R  P  L  A  Y
Q  O  O  O  I  A  I  O  L  G  A  C  E  T  I
O  E  M  R  R  T  G  C  H  O  A  E  A  Y  I
M  S  E  P  R  K  T  N  K  S  S  I  D  P  G
P  U  L  L  E  E  B  E  A  B  C  O  O  A  W
Y  T  F  E  L  T  S  A  R  T  A  A  F  M  F
S  E  I  R  E  S  E  P  L  O  I  L  F  H  B
R  E  D  N  U  O  R  N  E  L  V  O  L  N  B
E  K  O  M  S  A  Y  I  C  A  N  N  N  E  X
L  A  E  T  S  X  W  J  Z  Y  K  I  Z  A  V
W  I  N  D  U  P  R  I  E  M  I  E  W  F  L
I  Q  U  P  G  A  C  Y  R  S  G  Y  R  S  J
H  T  X  V  N  V  Y  K  H  R  T  M  D  G  L
```

BANDBOX	KICKBALL	SERIES
COMPETENCY	LEADOFF	SHOT
DEAD	LEFTY	SMOKE
DRAG	MCCARTHY	SOLO
DUST	NATIONAL	SPEAKER
ERROR	PLAY	STEAL
FADEAWAY	PULL	WINDUP
FORKBALL	ROUNDER	
HITTER	RYAN	

CHINA

```
A G U D G N E H C J N L I E B
K N N O C I T I N I S A K F R
D C T I T D H A J A T N N I L
E O U U D O A B N O Z C K I J
U N U M N O A E Y Z F H G A J
U V I C L G A B T H F O O C Z
A E H F M A S B Z O L W L P H
Q U N G U R K U N U N N D D A
U J I U N I S X N A E K F O N
C E L E S T I A L G L H I M G
T A K L I M A K A N K U S N Z
O L I E W G A G K J I I H R H
H A W T H O R N E S P K A C O
M A N D A R I N A T E D K N U
W E I G E L A G A G W N Z O G
```

ANTUNG	GWEILO	SINITIC
BAODING	HAWTHORN	SINUIJU
BAOTOU	JIAOZHOU	SUNGKIANG
CELESTIAL	JINAN	TAKLIMAKAN
CHENGDU	KALMUCK	TONKIN
CHULAN	LANCHOW	WEIGELA
DOUC	MANDARINATE	ZHANGZHOU
FINE	NIKKO	
GOLDFISH	QUNGUR	

DANCING

```
G  N  I  Y  A  M  S  U  E  G  N  A  H  C  R
K  C  H  O  R  U  S  C  A  H  E  G  T  L  A
C  E  H  A  E  N  T  I  I  B  T  S  N  I  V
J  L  I  O  I  T  O  C  H  B  M  I  T  I  E
O  J  U  S  R  N  S  I  A  S  O  I  L  I  R
Q  W  P  B  U  O  A  A  S  R  M  R  R  B  C
P  I  H  Y  B  M  G  M  T  A  E  E  E  E  I
M  A  R  A  B  I  E  R  O  S  V  T  Y  A  B
F  L  E  A  D  H  N  R  A  C  I  E  N  O  O
A  E  Q  R  R  X  Q  G  E  P  S  D  W  I  K
N  O  I  S  U  F  F  E  A  O  H  I  C  R  L
E  U  G  N  E  R  E  M  A  B  B  Y  D  K  G
S  I  S  E  H  C  R  O  O  D  M  A  R  L  K
Q  U  A  D  R  I  L  L  E  R  R  U  N  S  Z
X  I  F  S  N  A  R  T  U  I  B  B  R  C  Q
```

AEROBICS	DISTASTE	MERENGUE
BERIMBAU	EFFUSION	ORCHESIS
BLITHE	EVASION	QUADRILLE
BOEREMUSIEK	FLEADH	RAVER
CHANGE	GESTIC	RING
CHOROGRAPHY	INTERACT	RUMBA
CHORUS	KOYEMSHI	TRANSFIX
CLUBBING	MARABI	
DISCOMANIA	MAYING	

SPORT

```
A A H N I B U D R C F F R S S
D D T G J R E G A R I I O C K
P E V O U E Z J S O S S U I Y
E A V E M A S H H S H H N N L
L M R O R K L T O S E E H H A
N K I K T S Q M R T R R I F R
H A M T V E A S T M W T H K
F O L L O W E R S A A O T Z I
F F O Y A L G E Y I N M A C N
E R E F R E T N I N R A B V L
O P E N I N G U D E V N L C V
I R G N I L B M A R C S E L D
G Y M N A S T I C S F J M G Z
E V I T R O P S R E F R U S J
N A I C I N H C E T D C G K C
```

ADVERSARY	GYMNASTICS	SHORT
ATOM	INTERFERE	SKYLARK
BREAK	JEST	SPORTIVE
CROSSTRAINER	LAUGH	SURFER
DEVOTEE	LAYOFF	TECHNICIAN
FISHERMAN	OPENING	TIME
FISHERWOMAN	PARK	UNHITTABLE
FOIL	RAGE	
FOLLOWER	SCRAMBLING	

Puzzle #24

POTATO

```
X  A  D  T  C  S  U  O  U  D  R  A  R  U  F
B  I  M  C  L  H  N  T  A  H  C  O  L  W  I
C  L  R  I  N  A  I  E  D  A  S  H  E  E  N
D  R  U  T  T  W  H  P  E  T  W  K  F  C  O
O  E  O  E  I  S  O  P  P  T  O  L  S  S  S
S  A  V  Q  N  P  E  R  S  E  N  O  E  A  I
A  O  L  I  U  O  E  B  F  A  R  A  R  W  T
W  Z  A  I  T  E  S  P  A  Z  L  E  C  W  E
N  B  R  P  X  C  T  E  I  R  O  H  C  A  K
K  I  D  N  E  Y  A  T  N  A  T  U  R  A  L
I  D  E  K  F  E  Z  N  E  L  E  S  N  M  G
I  D  R  G  A  H  L  I  I  F  E  P  E  E  G
R  E  G  I  M  E  N  I  W  X  U  B  J  L  D
S  E  E  D  B  A  L  L  N  Z  O  H  I  Y  O
K  R  C  F  B  H  X  D  J  G  Z  K  H  T  Q
```

ARDUOUS	EPITRIX	NATURAL
ASPHALT	ESTIMA	OLESTRA
BLUENOSE	FROW	PEELING
CANTEEN	INACTIVE	REGIMEN
CHAT	INOSITE	ROOT
CHIPPER	KACHORI	SEEDBALL
CROQUETTE	KIDNEY	SHAW
DASHEEN	LARDER	
DOSA	LEFSE	

PHOTO EDITING

```
S A E M A S C U L A T E F M V
H P G N I V A R G N E Z E A I
A O T M K C A B Y A P L L G O
R C P E S P P R A B B I F A L
P O S H R I H I S A O F I Z E
L P F H O R L O C K M J E I N
J E F C O T E A T T U M I N C
N T F Y R P O F N O O C W I E
P H O T O B O M B R T R E N H
D A E R F O O R P I U Y I G I
P H O T O G R A V E R O P A L
R E T E M I R A L O P E J E L
G N I T I D E T S O P C O D I
T R I M M E R T R O P H Y R U
T U C R E D N U T I L I T Y J
```

APOCOPE	PHOTO	RABBI
EMASCULATE	PHOTOBOMB	SHARP
ENGRAVING	PHOTOGRAVER	SHOP
FELFIE	PHOTOTYPE	TRIMMER
FERRET	PICTORIAL	TROPHY
JOURNALISM	POLARIMETER	UNDERCUT
MAGAZINING	POSTEDITING	UTILITY
PAYBACK	PROOFREAD	VIOLENCE

Puzzle #26
STOP DEPRESSION

```
B  W  E  L  G  N  A  B  T  H  S  A  R  C  D
U  R  O  C  C  S  E  S  U  E  F  U  L  L  I
R  D  E  T  A  O  S  C  T  T  N  M  I  B  R
Y  F  I  A  S  M  U  E  T  A  T  R  D  R  E
T  O  L  S  T  E  E  N  N  A  Y  O  O  G  C
J  R  L  L  P  H  Z  R  T  K  R  K  B  C  T
P  E  C  B  E  I  I  I  O  E  R  Y  V  W  L
Z  D  K  R  T  W  R  N  L  S  R  A  T  V  H
G  E  S  T  A  T  E  I  G  I  T  C  D  F  L
Y  E  A  L  U  N  U  L  T  S  B  O  D  E  Y
Z  P  S  T  I  L  L  V  A  E  T  O  M  D  U
B  R  N  P  F  E  W  P  D  S  D  E  M  E  K
G  E  O  S  Y  N  C  L  I  N  A  L  A  M  G
H  Y  P  O  C  H  O  N  D  R  I  A  D  D  I
R  E  C  L  I  N  A  T  I  O  N  L  X  I  Z
```

ANGLE	DIRECT	RECLINATION
BREATHING	DISPIRITED	STATE
BURY	FOREDEEP	STAY
BUTT	FULL	STEAD
CAMEROSTOME	GEOSYNCLINAL	STILL
CORNET	HYPOCHONDRIA	STOW
COUNTER	IMMOBILIZE	WELL
CRASH	LUNULA	
DARKNESS	NECTARY	

LITERATURE

```
A  S  Y  A  B  O  L  D  I  H  F  L  U  B  T
F  L  I  D  T  J  E  L  B  A  E  K  I  L  T
R  I  E  T  D  A  J  H  A  U  M  O  T  I  F
O  V  A  I  Y  O  B  Z  H  P  O  J  R  P  P
F  A  G  W  X  L  H  A  Y  T  Q  V  M  A  E
U  T  J  B  Y  A  E  S  W  M  G  A  X  T  R
T  S  U  N  I  G  N  O  L  A  B  H  C  R  S
U  R  E  G  N  I  S  D  J  N  K  P  C  I  O
R  K  E  N  N  I  N  G  R  N  M  L  R  C  N
I  K  I  Y  E  C  N  E  R  E  H  O  C  I  I
S  B  I  O  G  R  A  P  H  Y  I  Q  R  D  F
M  C  A  C  H  I  N  N  A  T  E  N  W  E  Y
M  S  I  R  E  N  N  A  M  E  N  A  H  T  Q
N  O  I  T  C  I  F  A  T  E  M  R  O  V  N
M  I  L  I  T  A  T  E  S  A  T  I  S  F  Y
```

AFROFUTURISM	HAUPTMANN	MOTIF
ALEIXANDRE	KAWABATA	PATRICIDE
BIOGRAPHY	KENNING	PERSONIFY
BOLD	LIKEABLE	SATISFY
CACHINNATE	LONGINUS	SHODDY
COHERENCE	MANNERISM	SINGER
ELYTIS	METAFICTION	THANE
FLUB	MILITATE	WAIF

COFFEE

```
Y  N  O  N  A  C  B  L  O  E  F  F  A  C  F
C  R  G  U  L  P  O  I  M  E  C  A  J  G  A
H  H  A  V  C  F  M  X  P  A  T  N  C  E  H
E  F  I  E  M  W  B  P  S  E  M  A  A  E  N
A  U  C  C  L  Y  I  X  C  T  C  O  P  H  D
T  X  S  C  O  B  N  P  M  U  L  A  T  S  C
E  K  Z  G  E  T  A  L  U  G  A  O  C  Y  W
R  E  T  S  A  T  T  R  E  P  O  R  P  M  I
V  C  O  F  F  E  E  P  O  T  S  P  L  G  T
J  O  S  T  L  E  A  S  A  M  O  V  A  R  G
N  O  I  L  L  U  G  M  U  L  S  Q  N  B  A
S  O  C  I  A  L  I  Z  E  G  S  A  T  J  T
E  L  T  T  E  K  A  E  T  J  L  K  I  B  G
A  I  L  I  G  R  I  V  W  P  Y  M  N  T  H
P  K  C  W  N  Z  A  W  D  X  H  L  G  E  A
```

BLEARY	GULP	SLUMGULLION
BOMBINATE	HEATER	SOCIALIZE
CAFFEOL	IMPROPER	SPATE
CANON	IPECAC	TASTE
CHANCE	JOSTLE	TEAKETTLE
CHICOT	LUMP	VIRGILIA
COAGULATE	MAMOTY	WITGAT
COFFEEPOT	PLANTING	
DECAF	SAMOVAR	

MONDAY

```
E  H  O  C  K  D  A  Y  Y  M  D  U  J  B  Z
A  E  D  I  T  K  C  O  H  Y  O  S  J  L  G
S  S  A  M  Y  R  A  M  O  N  A  N  D  A  Y
T  E  C  E  E  T  C  I  D  E  C  D  D  H  O
E  L  D  A  C  S  T  E  E  M  R  N  N  A  V
R  U  E  I  U  N  O  N  N  S  O  P  L  U  Y
Z  N  W  E  T  S  A  L  L  D  W  Q  E  A  S
E  N  I  N  W  E  E  T  C  Q  B  Y  F  R  D
J  Z  U  B  X  A  V  R  S  A  A  L  T  O  K
T  O  R  P  O  R  Y  O  I  M  R  Y  O  K  U
E  L  U  D  E  H  C  S  R  E  U  B  V  S  C
E  V  I  S  U  L  C  N  I  H  B  C  E  Q  S
E  R  U  G  I  F  E  R  P  Q  S  M  R  W  Z
E  D  I  T  N  U  S  T  I  H  W  Y  S  I  W
K  E  E  W  K  R  O  W  C  U  O  G  R  Z  C
```

BLAH	INCLUSIVE	PREFIGURE
CAUSERIE	LEEWAY	SCHEDULE
CIRCUMSTANCE	LEFTOVERS	SHROVETIDE
CLOSE	MARYMASS	SUNDAY
CROWBAR	MEET	TORPOR
EASTER	MONANDAY	WHITSUNTIDE
EDICT	MONDAY	WORKWEEK
HOCKDAY	NINE	
HOCKTIDE	PERK	

PACIFIC

```
E  L  I  H  C  O  R  R  S  N  V  B  F  K  E
N  I  M  I  T  Z  D  O  E  U  A  Z  F  W  T
A  K  A  N  A  K  A  A  D  S  V  P  G  A  S
O  T  A  C  S  M  Q  T  R  A  A  A  I  J  I
E  N  D  E  R  B  U  R  Y  O  U  R  H  A  M
O  A  I  W  H  E  A  T  B  B  L  C  F  L  S
B  I  I  C  U  R  E  R  O  B  C  O  E  E  H
E  L  H  A  O  P  U  R  N  R  A  F  C  I  I
A  J  X  S  G  D  Z  H  I  T  P  L  K  N  A
R  W  Z  P  O  N  N  W  T  T  E  A  L  S  N
B  L  Z  H  I  R  A  E  O  B  L  G  H  T  D
E  Q  M  F  Y  N  U  M  M  A  I  T  X  U  L
R  B  S  S  H  U  S  K  U  D  N  A  B  I  C
R  H  S  I  F  N  W  O  L  C  Z  I  M  P  Q
Y  C  O  C  K  A  T  O  O  T  T  L  R  N  Q
```

BEARBERRY	ECUADOR	MENDOCINO
BONITO	ENDERBURY	NIMITZ
BORER	FLAGTAIL	ROTUMA
CAPELIN	FRASER	SAIPAN
CHILE	KANAKA	SCAT
CLOWNFISH	KUROSHIO	SUVA
COCKATOO	KWAJALEIN	TSIMSHIAN
COLORADO	MANGAIA	WHEAT

PUBLIC

```
A  N  C  E  D  E  L  A  T  E  A  J  F  T  S
U  C  I  H  G  I  D  I  S  I  N  T  E  R  T
C  E  C  A  E  A  L  P  A  K  A  Z  C  A  R
T  E  Y  E  L  S  T  I  A  Z  B  E  T  N  A
I  G  T  E  S  R  T  T  G  N  A  Z  W  S  P
O  L  U  A  S  S  E  D  O  E  T  L  Z  P  H
N  R  I  B  R  O  C  B  E  C  N  W  P  A  A
K  D  O  T  R  U  R  I  M  R  H  C  I  R  N
F  E  M  T  U  E  G  E  R  A  I  F  E  E  G
B  I  V  M  U  R  T  U  W  Y  H  T  R  N  E
W  K  Y  T  Y  T  G  T  A  G  G  C  E  T  R
G  N  I  K  E  P  S  I  I  N  O  E  Y  R  Z
T  R  I  U  M  V  I  R  C  L  I  Q  N  O  F
C  I  L  B  U  P  N  O  N  A  T  O  E  A  E
U  N  E  X  P  O  S  E  D  L  L  D  Q  Q  P
```

ACCESS	EYESORE	RETIRED
AUCTION	INAUGURATE	SPEKING
CHAMBERLAIN	LITTERBUG	STRAPHANGER
CHEST	LITURGICAL	TRANSPARENT
COTTAGE	NONPUBLIC	TRIUMVIR
DELATE	PANEGYRIC	TUTOR
DILIGENCE	PANT	UNEXPOSED
DISINTER	PLAZA	

Puzzle #32

DOLL HOUSE

```
H  R  I  O  T  T  A  B  A  E  B  S  Y  C  E
U  E  Y  E  V  X  R  O  A  G  U  O  X  N  N
A  H  L  R  R  E  Z  T  P  B  A  N  W  W  T
C  Q  C  U  E  I  V  T  T  O  E  L  E  E  E
S  A  G  T  C  N  F  L  R  E  Y  O  F  V  R
P  N  B  A  U  I  A  E  J  D  C  R  V  H  A
Q  H  Y  S  S  H  D  E  G  O  O  D  M  A  N
A  I  C  N  A  T  S  E  D  E  S  I  M  E  R
I  M  J  R  Z  T  R  X  A  N  E  S  T  L  E
W  S  B  X  O  R  H  O  U  S  E  B  O  A  T
K  E  E  J  O  K  V  L  P  W  E  R  K  G  O
F  L  D  N  U  O  B  E  S  U  O  H  K  R  K
F  F  J  P  B  Q  F  Q  R  M  B  D  Y  B  I
M  A  N  S  I  O  N  E  T  T  E  I  N  H  B
R  O  U  N  D  H  O  U  S  E  S  C  Q  M  D
```

ABATTOIR	ESTANCIA	HUAC
AEDICULE	FIRE	HUTCH
AVENUE	FOYER	JOSS
BABE	GASTROPUB	LORD
BOTTLE	GOODMAN	MANSIONETTE
BOWER	HIMSELF	NESTLE
DEANERY	HOUSEBOAT	REMISE
ENTER	HOUSEBOUND	ROUNDHOUSE

PUZZLE

```
C  E  B  E  A  T  I  N  G  A  K  C  A  R  C
C  I  S  A  D  N  J  K  W  R  E  I  F  Y  P
K  O  T  O  F  O  A  V  A  A  E  Z  J  G  O
V  I  N  E  P  F  P  O  E  U  S  D  A  U  S
U  V  T  F  M  P  L  E  K  C  P  G  L  M  E
W  N  T  T  U  A  A  E  A  A  U  R  I  I  R
Q  C  U  E  L  S  H  D  R  R  Z  G  U  J  W
H  R  K  R  A  E  E  P  G  I  Z  V  K  J  D
C  O  N  F  O  U  N  D  L  A  L  Q  U  I  C
D  N  U  O  F  B  M  U  D  A  E  S  C  I  I
Y  R  A  T  N  E  M  E  L  E  M  Q  N  Y  D
Y  R  E  T  S  Y  M  W  L  M  E  M  H  B  S
P  U  Z  Z  L  E  R  V  X  S  N  M  W  S  X
T  I  W  E  L  Z  Z  U  P  V  T  R  Q  J  F
S  U  O  U  S  N  E  S  A  N  I  M  A  T  S
```

ALPHAMETIC	DOPE	POSE
APPOSE	DUMBFOUND	POSER
ARAUCARIA	ELEMENTARY	PUZZLEMENT
BAFFLER	JIGSAW	PUZZLER
BEATING	KITTLE	PUZZLEWIT
CONFOUND	KOAN	SENSUOUS
CONFUSE	MAZE	STAMINA
CRACK	MYSTERY	WILDER

RAIN

```
A E N C P A H T E H A M M E R
Q C D L M O G C U N R T S I P
U T D A O O R N N O I P O N R
A E Z Y C V N C O E G F A S E
D I T P M S E K S D R U K U V
J E Z A F E A K E C G D D F I
V S E N R S E C L Y J G V F O
B I C S P G O S V L P F X E U
E P A R C H E D A V Z O K R S
A T A O C I T T E P X A X A E
O D A N R O T C N Y M S K B O
U J R P T Z C E Z I A C A L O
A X R Q S T R A T U S N B Y K
T U O H S A W N M M I I A Y A
W A T E R S P O U T Z L D O G
```

AQUA
CASCADE
CLAYPAN
CROP
DISINTEGRATE
DONGA
DRENCH
DUGOUT
FINE

HAMMER
INSUFFERABLY
LOVE
MONKEYPOX
PARCHED
PETTICOAT
PREVIOUS
SEED
SEEM

SELVA
SOAK
SPATE
STRATUS
TORNADO
WASHOUT
WATERSPOUT

SLEEPING

```
E  M  A  R  G  O  T  C  A  R  O  U  S  A  L
H  L  B  R  C  A  U  O  V  I  B  C  K  W  O
T  S  I  R  O  D  O  V  E  Y  U  R  A  A  B
D  S  I  B  U  U  N  D  L  K  N  I  Z  R  L
H  R  I  R  O  X  S  I  R  U  K  B  T  E  I
U  I  E  H  O  M  I  E  G  E  M  A  P  N  V
C  V  N  A  D  O  R  S  S  H  A  P  T  E  I
Y  I  I  S  M  D  B  O  M  L  T  M  U  S  O
O  G  N  R  O  E  U  H  D  Q  E  M  L  S  N
M  Q  R  O  B  M  R  B  K  U  Z  E  A  E  F
S  R  I  A  T  S  N  W  O  D  V  Z  P  R  T
G  I  F  G  H  A  B  I  Y  Y  Y  V  I  Y  E
R  F  B  V  C  T  R  V  A  T  N  A  L  A  T
U  A  H  T  F  C  E  A  E  C  A  R  R  E  T
O  H  Y  T  U  Q  H  L  P  E  I  N  S  Q  E
```

ACTOGRAM
AROUSAL
AROUSE
AWARENESS
BIVOUAC
BOORISH
BRUXISM
BUDDHIST

BUNKMATE
CRIB
DORMOBILE
DOVE
DOWNSTAIRS
DREAMER
DREAMLET
INSOMNIA

LETHARGY
NIGHTMARE
OBLIVION
PARATONIC
SLEEPY
TERRACE

Puzzle #36

EXERCISE

```
F  B  C  A  N  T  I  L  E  N  A  P  I  T  Y
C  F  U  C  A  P  T  A  I  N  C  A  U  S  E
O  R  U  T  D  I  A  L  O  G  U  E  D  M  L
M  K  O  B  T  L  F  S  H  L  I  U  R  Q  F
M  E  E  T  S  E  I  E  N  C  O  M  I  U  M
I  S  R  L  A  L  R  A  P  E  R  F  V  E  S
S  Y  M  U  T  T  O  F  M  R  C  V  E  U  O
S  J  J  E  N  R  C  T  L  Y  U  Q  V  E  L
I  Z  J  R  L  I  A  I  H  Y  E  S  A  M  F
O  V  B  C  Y  L  V  F  D  I  X  R  U  A  E
N  G  O  V  E  R  N  A  N  C  E  R  G  N  G
I  N  F  L  U  E  N  C  E  P  W  Y  B  S  E
I  N  T  E  L  L  E  C  T  U  A  L  Q  H  J
P  L  Y  O  M  E  T  R  I  C  S  C  Z  I  X
L  L  A  B  H  C  N  U  P  G  G  M  I  P  G
```

BUFF	DRIVE	PITY
BUTTERFLY	ENCOMIUM	PLYOMETRICS
CANTILENA	FARTLEK	PUNCHBALL
CAPTAIN	GOVERNANCE	QUEUEMANSHIP
CAUSE	GREYMAIL	SLOTH
COMMISSION	INFLUENCE	SMELL
DIALOGUE	INTELLECTUAL	SOLFEGE
DICTATOR	INURE	USURP

CONCERT

```
R  M  U  I  R  O  T  I  D  U  A  L  O  G  E
C  E  O  E  G  C  P  R  O  M  S  D  L  P  Z
H  C  T  L  T  N  O  B  D  Z  P  E  W  I  T
A  O  R  H  A  N  I  N  P  W  U  V  I  A  B
N  N  K  O  C  B  A  T  F  A  Q  I  H  N  X
T  C  U  N  W  I  M  T  R  L  G  S  Z  O  U
E  E  G  A  A  D  R  I  R  E  A  E  C  C  P
U  R  O  V  N  H  S  P  C  E  C  T  A  K  A
S  T  M  P  N  R  T  U  F  K  C  N  I  N  T
E  M  J  U  M  B  O  T  R  O  N  N  O  O  T
U  E  A  U  I  E  I  U  J  F  L  H  O  C  N
X  N  M  W  L  M  U  A  W  P  I  B  W  C  K
K  T  S  I  G  R  E  N  Y  S  Z  N  J  M  H
N  O  I  S  S  I  M  R  E  T  N  I  G  U  R
N  O  R  D  A  U  Q  S  P  V  M  M  B  Y  N
```

AUDITORIUM	CROWDSURFING	PROM
BILL	DEVISE	RICHTER
CHANTEUSE	INTERMISSION	SQUADRON
CIMBALOM	JUMBOTRON	SYNERGIST
CONCERTANTE	LOGE	THANK
CONCERTING	PAGEANT	VENUE
CONCERTMENT	PIANO	
CONFLATION	PREMIUM	

Puzzle #38

MUSIC

```
K A Z U M A C C O R D S O N G
G C O U P L I N G Q U I S H Y
R C D I V I S I F L I L T A N
O O S T E T T U T O D G R X B
U M G U S D E O D R R N U I M
P P I N O I O T N O I L A U K
U A G S A N L M X I N L A W V
P N X X S D O A G E C Z L N T
Q Y M W W I N H R E S I B M A
D K K R Y S T A P U H R T B Q
A C C A L O P R F O S X B Y I
S S E L E N U T O H M N U K W
E T A P O C N Y S F Y O E I C
T S I M M A R G O R P U H M K
D N U O R G R E D N U C U G A
```

ACCOMPANY
ACCORD
BASS
COUPLING
DIVISI
FANDANGO
FORLANA
FORTISSIMO
GROUP

HOMOPHONOUS
LILT
MENSURALIST
MODE
MUZAK
NODUS
POLACCA
PROGRAMMIST
SEXTET

SONG
SYNCOPATE
TONICITY
TRILL
TUNELESS
UNDERGROUND
WAND

CLEANING SUPPLIES

```
A  C  X  L  X  Y  O  C  S  D  H  E  B  E  G
E  M  I  A  L  V  R  L  E  U  I  Y  R  X  A
X  M  M  S  R  U  N  E  V  X  O  A  M  R  R
H  X  T  U  A  O  F  A  C  I  C  I  M  T  G
A  A  I  L  N  B  B  N  H  O  X  I  P  P  L
U  H  E  M  N  I  X  E  O  Z  R  A  T  O  E
S  X  O  R  O  D  T  R  Q  C  I  G  J  O  C
T  V  U  U  Q  G  N  I  S  N  A  E  L  C  R
G  N  I  S  S  O  L  F  O  H  E  A  D  E  R
N  O  O  D  E  E  F  N  I  N  W  D  Y  N  X
J  G  A  T  N  E  M  I  D  E  P  M  I  C  P
R  E  U  S  S  I  L  A  K  I  P  P  E  R  C
Y  R  E  L  L  U  C  S  N  E  K  I  R  T  S
M  I  L  L  W  H  E  E  L  Q  Y  P  G  O  S
R  E  N  O  I  T  C  E  F  E  R  I  M  S  Q
```

AMMUNITION	FLOSSING	ISSUER
BASIC	FULL	KIPPER
BORAX	GARGLE	MAID
CLEANER	GROCERY	MILLWHEEL
CLEANSING	HEADER	REFECTIONER
COPIOUS	HOUSEMAN	SCULLERY
EXCITOR	IMPEDIMENTA	STRIKE
EXHAUST	INFEED	

SUMMER

```
S H I M L A E L C A B E D T P
E C R E M M U S T S A E R B E
F E I E N J L I N N E T Q T R
Y U L P L I U E M H T Y H R F
L F R U M B M I N P U J Z E U
T O I N O Y A R C G F E F L M
E T S D A C L R E Y T G M L E
Y Z T I O C T A E T Y H O I R
E U C D L M E E R F N N E S S
C I N U T L A S L A F I M N U
E K A L F W O N S O P U W O N
S O M M E R X M L J I C S P S
T O O R Y T T U P L Q V T N U
H S A U Q S T A H B V X U G I
E Z I R E M M U S C H I Z C T
```

BREASTSUMMER	MODIFY	SQUASH
COULEE	MOLLISOL	SUMMERIZE
DEBACLE	PARALYMPICS	SUNSUIT
ERMINE	PERFUME	TRELLIS
FURNACE	PUTTYROOT	TUNIC
INSUFFERABLE	RHYTHM	VIOLET
JUICY	SHIMLA	WINTER
LENGTHEN	SNOWFLAKE	
LINNET	SOMMER	

WINE

```
I  T  S  A  C  B  U  R  G  U  N  D  Y  M  R
A  R  I  E  D  A  M  Y  E  L  P  P  A  O  E
D  U  M  A  Y  E  R  T  Y  K  R  O  C  S  D
X  L  S  H  C  H  P  E  E  A  W  U  F  E  D
U  J  E  A  T  N  T  Z  G  N  P  S  W  L  I
O  V  I  T  I  M  I  R  P  R  R  A  Q  L  N
O  O  P  E  U  R  V  O  O  E  E  T  E  G
D  R  A  F  T  E  S  E  E  W  T  B  B  V  N
A  N  T  C  R  T  B  T  I  D  E  A  A  A  X
S  T  A  S  C  W  Q  S  A  C  R  G  B  O  C
N  H  U  M  S  H  F  F  K  M  A  A  A  L  G
R  E  C  O  R  K  L  M  S  C  I  L  G  K  E
S  I  A  T  Z  U  B  T  X  J  O  N  G  C  K
N  A  I  N  A  M  O  N  E  O  E  B  E  V  E
N  A  L  I  Q  X  L  G  S  L  W  C  F  T  T
```

AGEWORTHY	DRAFT	OENOMANIA
APPLEY	DUMA	POTABLE
ASTI	ESTAMINET	PRIMITIVO
BERGERAC	GARDEVIN	RECORK
BOCKSBEUTEL	GLACIER	REDDING
BURGUNDY	GOURMAND	TAPA
CABERNET	MADEIRA	
CORKY	MOSELLE	

ESTATE PLANNING

```
G  S  R  T  T  S  D  N  I  F  P  B  G  G  O
Y  N  S  E  S  A  U  O  V  P  K  L  L  R  S
E  F  I  E  V  E  E  P  W  R  R  O  O  O  E
E  C  I  S  S  A  U  H  R  E  U  C  B  U  Z
N  V  R  N  I  S  H  Q  C  O  R  K  A  N  R
K  K  I  O  M  T  A  C  E  M  C  B  L  D  J
Z  H  Q  G  F  A  R  Y  R  B  N  U  I  S  D
E  L  D  D  U  M  D  E  R  A  C  S  S  M  A
F  A  Z  E  N  D  A  T  V  O  M  T  T  A  Z
B  U  D  G  E  T  I  N  G  D  N  E  R  N  Q
A  L  L  I  Z  E  D  I  R  B  A  R  D  M  U
D  E  S  I  G  N  A  T  I  O  N  L  E  F  Y
D  L  O  H  E  S  A  E  L  O  P  L  E  P  K
P  R  E  M  I  S  E  I  G  N  I  O  R  Y  Q
R  E  V  E  S  P  K  D  M  H  X  G  Q  Y  Y
```

ADVERTISING	DAMNIFY	LEASEHOLD
ASSESS	DESIGNATION	MARCH
AVER	DOWER	MUDDLE
BEQUEST	FAZENDA	PERNOR
BLOCKBUSTER	FIND	PREMISE
BRIDEZILLA	FORCE	SEIGNIORY
BUDGETING	GIVE	SEVER
CHEAT	GLOBALIST	
CORPUS	GROUNDSMAN	

FRUIT

```
B C A S S A T A C G N O L A K
D E S L I X W A I R G N A S I
G R A S U E N I T N E M E L C
O Y A R E F O C R M T C K Y R
U R R G I R T S I Z A R U O W
R W C R E P E I C M W M U A C
D K X H E E E T U R N Y M S S
N I K S A B H S I R U O S E S
T C S K R R E U Y U F M M T E
M U T P E S D N T K R N P U Q
J X U H S P X I U R M F U I R
O U Z R T X A U N J I V C W J
F Z U W G I W M V G N C I C C
P H Y S O C A R P O U S L M R
R A L U S P A C B U S Q A E Y
```

BEAR	JUNEBERRY	SCRUMP
CASSATA	KALONG	SEPTUM
CITRIC	MAMMEE	SKIN
CLEMENTINE	ORCHARDING	SOURISH
DRAGEE	PHYSOCARPOUS	SUBCAPSULAR
FRUITERESS	RIPE	TRUSS
FRUITFUL	SANGRIA	UNFRUITFUL
GOURD	SAUCE	UTRICLE

ARMY TRAINING

```
C  A  E  S  I  C  R  E  X  O  B  C  C  C  I
O  O  H  D  R  A  C  P  L  E  H  A  E  R  N
N  F  M  K  R  E  L  C  U  E  X  M  R  E  T
Q  V  N  M  R  Y  Y  T  O  X  Q  P  T  A  E
U  E  B  D  I  U  N  X  V  A  M  A  I  N  R
E  P  F  F  I  S  G  O  L  X  A  I  F  C  R
R  T  O  P  E  S  S  A  H  C  S  G  I  E  S
O  K  A  Q  K  M  C  A  T  P  T  N  E  W  H
R  W  N  L  Z  N  B  I  R  S  O  N  D  Y  I
Z  R  Z  A  A  I  A  A  P  E  O  H  P  Q  P
M  B  R  I  L  H  U  L  T  L  N  P  T  A  B
K  T  K  S  N  F  S  D  F  T  I  I  T  R  N
G  N  I  D  N  U  O  R  G  T  L  N  A  U  O
P  A  N  Z  E  R  N  G  A  D  U  E  E  R  O
C  I  N  O  T  A  R  T  S  M  S  O  C  X  T
```

BOXERCISE	CREANCE	MARSHALATE
CAMPAIGN	DISCIPLINE	ORTHOPHONY
CARD	EMBATTLE	OUTFLANK
CERTIFIED	FLANK	OUTPOST
CHASSEPOT	GROUNDING	PANZER
CLERK	GURKHA	STRATONIC
COMMISSAR	HELP	TRAINER
CONQUEROR	INTERNSHIP	

GARDEN

```
H  A  D  J  A  C  E  N  T  D  R  C  U  L  L
E  T  A  U  R  I  C  U  L  A  R  E  E  G  R
F  K  I  T  E  N  R  U  B  S  P  R  W  R  J
F  Z  L  M  F  O  R  K  Q  A  L  U  L  O  F
E  R  A  W  S  M  A  J  O  L  I  C  A  U  B
C  S  E  D  I  R  E  P  S  E  H  A  N  N  S
T  L  E  R  O  M  W  A  L  K  S  T  D  D  P
E  O  V  E  R  G  R  O  W  N  P  A  S  S  I
D  E  L  Y  T  S  I  R  E  P  R  B  C  M  R
T  E  J  C  X  O  S  O  W  B  I  L  A  A  E
Q  E  M  Y  H  T  I  H  X  N  N  E  P  N  A
Q  Q  K  B  B  D  V  R  U  G  K  M  I  P  D
A  D  E  C  A  R  R  E  T  Y  L  V  N  C  G
T  O  W  O  O  O  P  D  P  G  E  X  G  N  H
H  B  Z  H  M  R  D  C  I  C  R  W  L  B  M
```

ADJACENT	HESPERIDES	SPIREA
AURICULAR	LANDSCAPING	SPRINKLER
BOWER	MAJOLICA	TABLE
BURNET	MOREL	TERRACED
CULL	OVERGROWN	THYME
EFFECTED	PERISTYLE	WALK
ERUCA	RIOT	WARE
FORK	ROCKET	
GROUNDSMAN	SMITH	

PIANO LESSONS

```
S A L L E G O R Y C O M P V B
C C P A E S U O H L E R R A B
H C B O C H I R O P L A S T T
U O E O S I F I L M P Q H G E
M M N L L T R F R A M E D O M
A P D A A S L O L J L X R M P
N A K U I P T E T Q U I A P E
N N K P Y P S E S S E C E R R
I I A C Y J A E R T I I I O R
S S G L A M E L L O P H O N E
M T M E L O G R A P H Y A B W
L A D E P R E V O D N O C E S
T C E T O R P R E V O R Q Y J
E N O T I M E S Y L L A B U S
E L B A T E M I T B N I U E O
```

ACCOMPANIST	ELAPSE	PREP
AHISTORICAL	FILM	RECESS
ALLEGORY	FRAMED	SCHUMANN
APOSTLE	LAMELLOPHONE	SECONDO
BARRELHOUSE	MELOGRAPH	SEMITONE
BOLSTER	OVERPEDAL	SYLLABUS
CHIROPLAST	OVERPROTECT	TEMPER
COMP	PIANO	TIMETABLE

MOTOCYCLE RACING

```
B  Y  T  I  L  I  G  A  F  M  T  F  A  R  D
E  A  N  T  I  R  A  C  E  R  O  V  F  I  X
E  V  E  N  T  G  M  C  I  O  U  R  L  A  C
M  J  R  E  I  O  O  E  I  P  V  T  A  G  V
E  Q  U  A  D  F  R  I  D  D  P  A  T  C  O
R  M  G  S  C  C  F  T  N  I  R  I  L  X  Y
N  X  D  G  Z  Q  H  I  J  G  T  O  H  S  R
L  A  N  G  L  A  U  F  R  M  O  A  N  P  O
M  A  V  E  R  I  C  K  S  G  X  B  T  S  A
E  N  A  H  T  E  M  O  R  T  I  N  L  E  D
O  U  T  R  I  D  E  R  U  X  G  N  J  F  S
D  A  E  H  L  O  R  T  E  P  P  V  E  L  T
S  P  E  E  D  W  A  Y  N  Y  W  T  O  U  E
E  L  C  Y  C  I  R  T  T  A  J  G  E  M  R
K  W  L  M  A  O  Z  Y  E  D  I  L  N  R  A
```

AGILITY	HIPPIC	QUAD
ANTIRACER	LANGLAUF	RACY
BEEMER	MAVERICK	ROADSTER
CAROM	MEDITATE	SPEEDWAY
DRAFT	NITROMETHANE	TRICYCLE
EVENT	NORDIC	TROT
FLAT	OUTRIDER	TURF
GOING	OVAL	
GRIFFIN	PETROLHEAD	

FLOWER

```
A  A  A  P  E  T  A  L  O  U  S  T  E  M  Y
B  C  B  N  R  E  T  S  A  M  X  G  W  I  H
N  E  R  L  T  Y  C  E  C  Y  A  N  I  N  E
O  O  L  O  A  H  T  A  N  K  B  F  Q  D  L
P  R  I  A  C  U  O  S  L  R  E  I  J  U  I
E  S  G  T  M  L  T  L  A  I  U  B  Z  S  A
N  V  T  E  A  O  I  E  Y  N  L  B  J  I  N
Y  A  Z  T  A  N  U  P  S  I  R  A  U  T
U  M  B  E  L  T  R  R  I  R  I  P  P  M  H
P  A  N  I  C  L  E  A  L  U  E  S  E  N  U
S  N  O  W  D  R  O  P  C  X  M  P  L  V  S
I  M  M  O  R  T  E  L  L  E  D  F  O  O  U
N  E  R  V  E  R  O  O  T  X  I  Q  R  X  Q
D  A  E  H  E  K  A  N  S  H  K  G  I  P  V
T  A  R  W  E  E  D  X  A  X  M  Z  C  X  Y
```

ACROCLINIUM	EPINASTY	PELORIC
ALBA	HELIANTHUS	PERPETUAL
ANTHOLYSIS	IMMORTELLE	SNAKEHEAD
APETALOUS	INDUSIUM	SNOWDROP
ASTER	LILAC	STEM
BELAMOUR	NERVEROOT	TARWEED
BURNET	OPEN	UMBEL
CARNATION	ORGEAT	
CYANINE	PANICLE	

LEARN ENGLISH

```
N  B  R  Y  Q  A  K  A  C  G  G  X  A  C  P
L  A  A  E  D  G  E  W  O  R  T  H  S  L  U
S  A  C  I  W  H  E  H  N  A  E  C  T  O  S
E  R  N  I  L  O  P  M  G  P  G  K  R  B  H
C  V  E  G  L  E  G  Q  R  H  Y  V  A  V  C
E  A  I  G  L  G  Y  L  E  O  V  A  L  B  A
T  X  N  S  O  A  N  I  V  L  J  E  R  W  R
K  C  H  K  N  R  N  A  E  O  B  Z  M  G  G
J  I  N  I  E  E  E  D  O  G  O  A  V  E  S
T  V  D  I  B  R  H  F  X  Y  S  J  S  M  R
P  B  R  D  T  I  W  E  F  S  W  E  E  T  J
U  X  B  X  L  S  T  E  R  O  X  W  Z  W  Z
V  X  Q  W  H  E  N  W  E  P  S  O  J  Y  G
N  R  A  E  L  N  U  I  M  D  P  O  M  F  U
T  R  A  C  T  A  B  L  E  F  X  A  O  I  N
```

ANGLICAN	EXHIBIT	OFFER
APPREHENSIVE	GOWER	PUSHCAR
ASTRAL	GRAPHOLOGY	REME
BAILEY	GRAY	ROGERS
BAKER	INSTINCT	SWEET
CANKERWEED	KEEP	TRACTABLE
CLOB	KIDDLE	UNLEARN
CONGREVE	LANGLAND	
EDGEWORTH	OAVES	

Puzzle #50
SEA

```
B A F L O A T B E R T H E C K
L C T A Q U A M A R I N E O A
A T U L D E S A L T R B O R N
C I H T A R S D E L I A S O A
K O F A T M S L L S T X G N K
P N E H A L V E I I T P J A A
O U S I S K E R A R W U D L S
O C I T O H P F G W G H O O N
L V I C Z M A R I C O L O U S
T R O W K L I M Y S N R O M Q
A I H C A M U A N T H X T V X
S E A W A N D N E D I I X H C
S M O O T H Y N O D W N G I Y
S P I N D R I F T O O A A W Z
Q E K J A B C E G A F N B M Q
```

ACTION
AFLOAT
AQUAMARINE
BERTH
BLACKPOOL
CORONAL
CUTTLEFISH
DESALT
GRILSE

HAAK
KANAKA
MALTA
MARICOLOUS
MILKWORT
NAUMACHIA
OUTSEA
PHOTIC
RYTINA

SAGAR
SAIL
SEAWAND
SEAWORTHY
SMOOTH
SPINDRIFT
WILD

FOOD

```
F  I  S  H  E  S  B  R  E  A  K  F  A  S  T
C  E  I  S  O  C  F  R  I  Z  Z  L  E  R  S
U  H  G  G  E  C  I  E  O  Y  B  T  Z  I  H
T  O  R  R  R  L  U  O  V  I  T  I  M  S  R
L  R  V  T  O  O  D  S  H  I  L  N  J  O  I
E  S  B  Z  N  G  U  O  S  C  L  N  S  T  M
T  E  L  K  O  E  S  N  O  T  Q  E  A  T  P
G  M  D  O  R  P  M  I  D  F  A  D  T  O  C
F  E  K  N  B  E  Z  I  D  N  A  M  R  O  G
W  A  H  Z  U  S  L  P  R  T  U  F  P  H  X
C  T  A  X  N  O  T  S  F  T  C  T  S  M  H
S  Q  U  I  D  Q  R  E  G  R  U  L  P  S  R
T  A  N  D  O  O  R  I  R  X  P  N  D  P  X
S  U  O  G  A  H  P  O  N  O  M  Q  J  M  K
U  N  W  H  O  L  E  S  O  M  E  S  X  K  S
```

BREAKFAST	GROUNDNUT	SHRIMP
BROIL	HOCUS	SPLURGE
CHOICE	HORSEMEAT	SQUID
CUTLET	LIVE	STAMP
DISGORGE	LOBSTER	TANDOORI
FISHES	MONOPHAGOUS	TINNED
FOODLESS	NUTRIMENT	UNWHOLESOME
FRIZZLE	RISOTTO	
GORMANDIZE	ROUND	

Puzzle #52

E SPORT

```
M  A  R  N  H  E  M  K  K  O  Q  R  V  D  H
E  A  N  E  C  P  Y  I  O  M  U  A  I  I  O
O  I  D  A  D  A  G  N  S  A  I  N  L  N  O
S  R  D  R  D  R  I  S  I  H  L  D  L  K  P
F  P  E  R  E  Y  A  T  C  A  M  O  E  O  W
A  V  A  U  I  T  R  O  E  J  E  L  U  F  H
O  D  D  M  G  B  S  N  B  P  S  P  R  F  A
U  M  N  W  V  A  O  M  Y  K  N  H  B  I  L
T  E  N  I  T  S  E  L  A  P  P  K  A  C  E
I  N  T  E  R  V  A  L  Y  W  A  K  N  I  R
K  T  S  E  P  A  R  A  T  E  Q  F  N  A  F
R  C  Z  W  G  W  M  S  E  M  X  R  E  L  D
I  G  I  E  G  D  F  A  N  O  T  O  L  E  P
B  M  E  T  F  B  I  V  S  R  O  A  K  N  B
I  H  I  T  S  P  M  M  Z  F  K  Z  K  Q  N
```

AMSTERDAM	KINSTON	QUILMES
ANADYR	KOSICE	RANDOLPH
ARNHEM	LEAGUER	SAMARINDA
BIRDIE	MIDGET	SEPARATE
BOARDER	OFFICIAL	SPAM
DINK	OMAHA	STICK
HOOP	PALESTINE	VILLEURBANNE
INTERVAL	PELOTON	WHALER

181

WINTER

```
D  S  A  R  A  S  O  T  A  Y  G  N  L  L  H
A  O  A  W  I  N  E  S  A  P  H  C  R  L  I
D  D  N  M  K  C  A  B  K  C  A  L  B  U  Y
E  F  A  G  H  D  O  L  O  R  R  I  Q  I  B
E  O  M  P  T  A  Z  T  F  C  D  M  I  C  S
R  O  E  I  T  I  I  O  Q  S  Y  A  B  T  A
Y  L  K  R  C  A  N  N  Z  I  T  N  A  V
A  F  Y  C  Y  R  B  G  I  E  N  I  Q  R  A
R  I  E  I  E  S  O  L  J  N  L  C  R  A  G
D  S  B  C  O  N  I  F  E  R  O  U  S  N  E
H  H  S  S  U  C  K  D  E  F  R  O  S  T  L
T  A  C  G  B  D  O  O  U  M  E  E  I  A  Y
D  R  I  B  D  E  E  R  O  W  C  X  V  S  M
Y  R  A  G  A  V  U  R  R  R  L  I  L  S  H
E  C  N  E  C  S  E  I  U  Q  C  H  J  T  X
```

ADAPTABLE
BLACKBACK
BURN
CLIMATIC
CONIFEROUS
CROOKNECK
DEERYARD
DEFROST

DOLOR
DONGTING
FOOLFISH
HARDY
MICRO
QUIESCENCE
REDUCE
REEDBIRD

SAMHAIN
SARASOTA
SAVAGELY
TARANTASS
VAGARY
WINESAP
ZONE

QUIT SMOKING

```
A T T R I T E Y C C A B F N N
E C W E S D I R W F C L O A A
Q N R A K I E B A M V O R R R
Y F O A R A S R I W L A E G G
R Z Z C C D S O E H A T G H I
P E E K T K A R N D O B O I L
D X L J Y I D H O P W R J L E
P M M L F X U T S F Y O P E H
P O T S O A J Q M I H H P Z A
H N F O Q R V S B G H U F B Z
D E T S E V M A L M F S Q N N
Z V L F T E N A C I T Y N K A
T O B A C C O Y E A K K N K I
T N A N E T N U G T T A B H U
Y S W C G G O B V J S E C Y K
```

ATTRIT	HYPNOSIS	STOP
AWARE	KEEP	TENACITY
BACCY	NARGHILE	TOBACCO
BLOAT	NARGILEH	TOBACCOY
CONE	POWDERED	UNTENANT
CRACK	PROHIBIT	VACATE
DRAW	QUIT	VESTED
FOREGO	SHISHA	
FORSAKE	STEAMROLLER	

TABLE TENNIS

```
F  A  F  G  H  A  N  I  B  M  I  L  C  Q  A
C  E  F  O  O  T  C  M  A  T  G  D  W  C  A
G  E  D  X  J  G  H  Y  D  X  A  P  I  L  I
R  L  N  E  M  Q  A  G  M  L  K  R  O  N  E
A  E  M  T  R  R  E  T  I  L  I  C  E  D  K
S  A  I  E  I  E  B  Z  N  E  C  U  A  S  K
S  F  S  N  T  M  R  E  T  I  S  O  P  P  O
A  C  Y  R  N  A  E  L  O  I  H  J  F  X  G
P  V  Y  D  I  A  L  S  N  E  G  S  I  W  L
T  I  V  R  J  Q  P  W  T  A  R  G  A  L  D
D  R  A  I  L  L  I  M  A  R  K  I  N  M  E
F  K  C  S  Z  T  J  M  C  R  O  A  P  I  S
E  N  P  B  T  W  E  L  V  E  E  K  X  M  R
A  W  T  E  R  R  I  F  I  C  N  I  E  S  U
W  S  L  Z  X  X  E  A  C  H  I  U  Z  F  N
```

AFGHANI	GRASS	RINGGIT
BADMINTON	KRONE	SAUCE
CENTIME	LEAF	SMASH
CLIMB	LIPA	STROKE
DECILITER	METALWARE	TERRIFIC
DINK	MILLIARD	TWELVE
EIGHT	OPPOSITE	UMPIRE
FEDERER	PANNIER	
FOOT	PIASTRE	

Puzzle #56

DOG

```
B  L  I  T  Z  N  E  L  B  A  L  L  A  C  D
C  E  N  Y  G  K  A  L  X  K  P  K  A  O  O
O  A  A  O  G  A  N  H  O  N  A  I  X  U  G
G  O  N  R  I  G  I  O  G  I  I  E  L  N  H
S  N  P  K  D  S  O  T  W  F  R  M  P  S  O
G  P  I  A  E  I  S  D  Z  I  A  A  A  E  L
P  N  R  R  K  R  E  U  H  S  N  D  C  L  E
M  V  U  E  E  U  W  C  A  O  G  T  Y  T
B  J  I  R  N  V  E  E  S  S  Q  H  F  K  O
Q  Q  R  M  P  G  I  P  Z  I  I  A  U  F  X
U  D  V  M  U  S  S  U  R  S  N  D  K  N  N
L  U  F  T  H  G  I  R  Q  M  C  Q  E  K  O
S  T  A  N  D  I  N  G  S  T  A  R  T  E  R
S  Y  A  W  G  N  I  R  T  S  I  R  H  R  I
D  N  U  O  H  E  P  I  R  T  A  X  C  Y  N
```

AFGHAN   DOGGY   RIGHTFUL
BEARDIE   DOGHOLE   SLIP
BLITZ   GAIT   SPRANG
CALLABLE   KNOWING   SPRUNG
CANKER   MINX   STANDING
CARIOLE   PEAK   STARTER
COUNSEL   PEEKAPOO   STRINGWAYS
DISCUSSION   QUIVERING   TRIPEHOUND

UNIVERSE

```
I  E  D  A  G  C  R  Q  G  B  F  D  H  D  M
D  D  P  L  E  N  O  O  S  K  I  E  E  Y  A
Z  U  N  I  O  O  I  S  T  L  R  I  A  N  J
Q  U  A  O  C  G  N  N  M  A  E  S  V  A  E
G  U  Y  L  B  U  E  O  N  O  E  M  E  M  S
C  T  F  Y  I  L  R  Y  P  I  M  R  N  I  T
D  C  T  U  P  S  O  U  X  L  G  E  C  S  Y
E  N  O  G  R  O  M  U  S  P  P  E  T  M  Q
C  O  S  M  O  G  R  A  P  H  E  R  B  R  J
Y  S  D  H  Y  L  O  T  H  E  I  S  M  U  Y
G  T  M  S  I  E  H  T  N  A  P  O  L  W  F
M  S  I  H  C  Y  T  S  P  E  C  I  O  U  S
B  Q  K  R  S  T  A  T  I  C  R  N  L  I  E
E  A  Y  C  A  Y  G  O  L  O  E  H  T  E  T
I  E  X  Y  Q  P  T  S  I  U  C  A  V  E  E
```

AEON	DYNAMISM	ORGONE
BEGINNING	ENTROPY	PANTHEISM
BONDI	EPICURUS	PARITY
COSMOGRAPHER	FIRE	SPECIOUS
COSMOMETRY	GOLD	STATIC
CREATOR	HEAVEN	THEOLOGY
DEISM	HYLOTHEISM	TYCHISM
DUALISM	MAJESTY	VACUIST

SHIRT

```
K  M  C  O  A  T  D  E  N  I  B  M  O  C  D
N  R  O  O  D  I  C  K  Y  Z  T  M  M  U  I
T  I  A  S  M  R  A  G  N  A  H  S  Q  Y  S
M  E  A  S  O  P  T  I  F  T  U  O  U  W  C
O  V  K  R  E  B  O  K  R  A  S  P  Y  K  O
D  C  H  C  T  R  B  R  L  I  O  L  S  S  L
E  Y  A  Y  E  S  A  N  T  U  M  X  S  I  O
S  T  G  T  J  F  N  B  K  V  F  W  H  B  R
T  P  L  A  S  T  R  O  N  S  W  K  I  W  H
E  V  E  E  L  S  R  O  C  M  R  N  R  I  Y
E  R  U  T  N  E  V  D  A  S  I  M  T  A  M
S  H  I  R  T  B  A  N  D  D  N  P  L  A  S
S  H  I  R  T  T  A  I  L  O  K  I  E  I  F
S  W  A  N  N  I  E  T  K  H  L  G  S  T  L
U  N  D  E  R  V  E  S  T  D  E  I  S  S  I
```

BARESARK	HANGAR	SHIRTLESS
BOSOM	KUSTI	SHIRTTAIL
COAT	MISADVENTURE	SLEEVE
COMBINED	MODEST	SWANNIE
COMPORT	OUTFIT	TACO
CONSTRAIN	PLASTRON	UNDERVEST
DICKY	SARK	WRINKLE
DISCOLOR	SARKFUL	
FECKET	SHIRTBAND	

TRUCK

```
B A K K I E B A T C H D T C F
A L C A M P E R M F B L R H T
C E I C A R R Y A L L J O A O
K E D A G E A R B O X N T U Y
L E N I T P W E D A R G V L I
O A F T S B G F D T R K T E M
A R D I R P O H O W L O N R E
D A E O N U O B R E K N U J B
M E E F M K C R M A L S H N H
S T A K E R K K D T R E A D D
U G M J Y E E C A T N H T T Z
R E C N U O R T A G W F H N K
P Y S F X X Q A N J E I K Y B
Y D D X E Y Y S G I D M R F R
R Y G R K E F D K Y Q E Y G I
```

BACKLOAD	FLOAT	ROUND
BAKKIE	GEARBOX	SLAM
BATCH	GRADE	STAKE
BOBTAIL	HAULER	TREAD
CAMPER	HOWL	TROT
CARRYALL	INTERMODAL	TROUNCER
DRAY	JACKKNIFE	TRUCKAGE
DROPSIDE	JUNKER	
ENTRUCK	REEFER	

GERMANY

```
A  B  I  N  G  E  N  K  C  N  A  R  F  P  E
S  I  D  N  A  L  O  G  L  E  H  E  R  F  E
I  U  R  M  A  N  S  F  I  E  L  D  I  A  Z
S  Z  I  T  A  K  O  L  H  A  F  F  S  N  L
R  O  A  N  S  D  C  R  R  N  C  W  I  D  X
H  K  L  N  U  U  S  E  I  A  U  F  A  B  J
V  Y  Y  I  H  J  A  T  D  C  E  S  O  R  D
S  P  P  A  N  H  C  S  O  L  U  R  S  I  U
R  S  G  I  Y  G  P  N  P  P  A  M  O  E  I
R  U  D  E  S  H  E  I  M  E  R  W  X  F  L
T  E  U  T  O  N  T  N  B  A  R  R  I  E  R
R  U  T  K  A  R  F  G  E  R  M  A  N  I  C
S  S  E  M  R  I  K  M  S  I  T  E  I  P  A
P  U  M  P  E  R  N  I  C  K  E  L  Q  K  V
N  E  T  A  R  B  R  E  U  A  S  Z  G  C  Z
```

AUSTRIA	HELGOLAND	PUMPERNICKEL
BARRIER	JUNIUS	RUDESHEIMER
BINGEN	KIRMESS	SAUERBRATEN
EARL	MANSFIELD	SCHNAPPS
FRAKTUR	NAZI	SOLINGEN
FRANCK	NORICUM	TEUTON
FRISIA	PFANDBRIEF	WALDECK
GERMANIC	PIETISM	
HAFF	POTSDAM	

BRAIN TRAINING

```
N  B  A  C  K  G  R  O  U  N  D  M  D  G  H
T  O  M  U  I  H  C  A  R  B  Z  H  O  R  I
S  S  I  M  R  O  W  N  I  A  R  B  P  E  K
E  R  A  T  C  A  M  A  R  I  L  L  A  E  E
M  Q  E  E  I  D  I  S  A  B  L  E  L  N  V
T  R  U  E  B  S  N  O  I  L  G  N  A  G  O
K  R  O  I  R  V  I  P  L  E  H  A  W  B  M
O  U  A  F  V  A  L  U  N  E  M  I  L  C  N
U  S  N  B  N  A  C  E  Q  D  R  A  Z  A  M
H  C  Z  R  S  I  L  P  U  C  H  P  A  I  T
M  E  N  I  N  X  S  E  Z  I  A  H  Y  T  H
M  I  E  T  A  R  O  I  N  U  J  P  H  W  V
P  R  A  C  T  I  C  E  Z  C  P  R  D  U  H
E  R  E  H  P  S  I  M  E  H  Y  Z  L  K  N
Y  R  E  G  R  U  S  O  R  U  E  N  B  A  O
```

ACQUISITION	DOPA	JUNIORATE
BACKGROUND	EQUIVALENCY	LIMEN
BEAST	GANGLION	MAZARD
BRACHIUM	GREEN	MENINX
BRAINWORM	HELP	NEUROSURGERY
CAMARILLA	HEMISPHERE	PRACTICE
CAREERS	HIKE	TRABS
DISABLE	INFORM	

POLE DANCING

```
A N T A R C T I C A D P D T D
B M B A L L O B E A C O N R O
G A U C A T H O D E S E B O V
G A R S E I H T A L I N R B E
R H T R E P K C R S A P H O C
E E A O I M I C A I L Q M T O
O V G W Y E E P O E C A Y I T
A K A D A A R N N T R K S C E
E S A T E Z H Z T R S G E Z J
R H W Z S L I S C O O N C R X
N E G A T I V E A M U H I L G
O N V R P I J M P S J E C L H
P I G U I E U N M A R K E D B
Y T E I R A V O G F H K B U I
V A U D E V I L L E B M M Q M
```

AMUSEMENT	GHAWAZI	SALSA
ANTARCTICA	HORNPIPE	SASHAY
BALLO	LATHI	STAVE
BARRIER	LEDGER	SWAPE
BEACON	LINSTOCK	UNMARKED
CATHODE	NEGATIVE	VARIETY
DOVECOTE	REACH	VAUDEVILLE
DPDT	RICKER	
GATO	ROBOTIC	

ELECTRIC BIKES

```
A  R  A  L  O  P  I  B  D  N  E  N  M  P  M
E  S  C  E  L  I  S  V  S  N  O  V  Q  E  A
M  T  T  I  K  W  Q  X  I  T  O  B  I  F  T
X  A  A  R  R  U  F  O  N  B  R  B  R  L  C
L  O  R  L  A  T  N  R  D  R  S  A  C  A  H
E  I  B  G  L  D  C  N  A  M  E  R  I  W  C
U  L  N  E  O  I  D  E  P  O  L  E  V  N  E
O  S  F  E  C  R  R  L  L  E  B  R  O  O  D
B  W  W  F  M  I  T  B  E  E  U  S  C  A  B
L  O  F  U  U  A  I  C  I  T  I  F  M  E  M
F  J  K  B  S  M  N  Y  E  F  Y  D  Q  M  Y
P  O  S  I  T  I  V  E  X  L  E  J  N  O  U
N  O  I  T  A  R  U  T  A  S  E  D  Q  N  O
O  V  E  R  C  U  R  R  E  N  T  R  V  O  P
R  A  E  G  H  C  T  I  W  S  N  P  I  I  X
```

ASTRADDLE	ENVELOPE	POSITIVE
BIPOLAR	ICEBOX	SATURATION
BOND	LINEMAN	STRAIN
CARBON	LIVE	SWITCHGEAR
DEFIBRILLATE	MATCH	WIREMAN
DIELECTRIC	MUFFLE	
DOORBELL	NUKE	
ELECTROGRAM	OVERCURRENT	

MOON

```
N  I  D  L  A  M  I  R  G  A  L  C  Z  H  F
S  O  E  F  I  S  A  T  U  Y  T  A  E  I  E
J  U  I  C  L  V  T  I  B  R  O  L  R  G  A
T  T  T  M  A  I  E  R  R  S  Q  E  A  H  S
R  D  X  A  Y  F  T  B  O  G  B  N  S  S  I
L  U  N  A  R  D  E  R  E  L  V  D  V  T  B
P  R  I  M  E  T  N  H  P  O  A  S  J  X  L
R  E  G  N  A  R  S  E  T  O  H  B  S  G  E
E  T  T  E  N  U  L  O  P  A  E  P  E  C  X
A  Y  U  Q  R  O  T  A  R  I  P  S  N  O  C
M  O  O  N  L  E  S  S  R  R  A  N  L  M  G
T  I  L  N  O  O  M  Y  C  E  I  G  O  F  Y
E  E  G  I  R  E  P  P  Q  P  V  C  O  O  A
P  R  O  S  N  E  U  S  I  S  V  O  H  Q  M
T  N  A  T  X  E  S  A  J  P  Y  D  R  A  H
```

ASTROLABE	GRIMALDI	PERIGEE
ATLAS	HIGH	PHOEBE
CALENDS	LIVE	PRIME
CIRROSTRATUS	LUNAR	PROSNEUSIS
CONSPIRATOR	LUNETTE	RANGER
ENDYMION	MOONLESS	ROVER
FACE	MOONLIT	SEXTANT
FEASIBLE	MOONPATH	
FLIT	ORBIT	

ORIGINAL

```
O  M  S  E  F  G  D  L  P  S  C  H  H  I  N
K  H  Y  I  D  I  R  V  Q  S  O  E  A  N  I
E  E  C  N  S  I  R  E  F  V  M  A  C  B  T
E  P  E  E  O  Y  M  S  E  A  P  D  K  O  I
A  Y  P  P  P  R  L  O  T  N  O  W  N  U  N
G  J  L  A  I  N  C  A  R  V  U  A  E  N  O
F  V  D  A  N  N  H  A  N  B  N  R  Y  D  L
E  T  A  B  E  R  G  X  N  A  D  D  E  F  U
T  K  Y  T  I  C  I  T  S  A  L  E  D  Z  N
Y  M  O  R  D  O  N  O  M  S  E  R  V  E  P
C  A  P  R  O  T  O  L  O  G  Y  Z  L  V  A
O  P  L  P  R  O  T  O  P  L  A  S  T  Q  C
N  V  L  R  N  O  I  T  C  U  D  E  R  T  K
T  U  K  L  A  R  I  G  H  T  E  N  O  O  O
G  A  T  R  I  P  L  I  C  A  T  E  O  X  L
```

ANACRONYM	HACKNEYED	PROTOLOG
ANALYSIS	HEADWARD	PROTOPLAST
BROMIDE	INBOUND	REBATE
COMPOUND	KEEPING	REDUCTION
ECHO	MONODROMY	RIGHTEN
ELASTICITY	NAPPE	SERVE
FIRST	NITINOL	TRIPLICATE
GREEN	PARLAY	UNPACK

SCIENCE

```
C  S  R  K  M  S  E  J  K  V  M  H  T  G  N
H  R  C  A  C  S  L  V  Z  Q  E  A  E  E  E
V  Y  S  I  E  I  I  C  E  A  T  R  R  O  U
I  N  G  S  T  L  D  C  M  V  H  M  A  S  R
A  U  T  I  A  E  C  B  I  E  O  O  F  C  O
X  E  I  R  O  T  B  U  A  R  D  N  L  I  L
Q  E  O  V  X  L  O  A  H  F  I  Y  O  E  O
P  H  Y  S  I  C  O  P  H  Z  C  P  P  N  G
G  N  I  T  S  I  L  G  V  P  S  D  M  C  Y
P  E  S  T  O  L  O  G  Y  G  L  J  G  E  T
Y  G  O  L  O  M  S  A  I  M  O  A  L  Z  S
Y  G  O  L  O  T  N  E  M  R  E  F  N  H  E
O  B  S  T  E  T  R  I  C  S  I  Z  K  I  R
T  S  I  C  I  S  Y  H  P  R  O  U  T  E  R
Y  H  P  A  R  G  O  T  Y  H  P  I  X  U  C
```

ALPHABETICS	LISTING	PHYTOGRAPHY
CLEAR	METHODICS	ROUTER
DICK	MIASMOLOGY	SSRC
EMPIRICISM	NEUROLOGY	TERAFLOP
FERMENTOLOGY	OBSTETRICS	
GEOSCIENCE	PESTOLOGY	
HARMONY	PHYSIC	
HYGIOLOGY	PHYSICIST	

GRADUATE

```
G  T  T  N  O  I  T  A  R  B  I  L  A  C  M
M  C  S  S  E  D  I  V  I  D  B  G  D  H  A
A  L  L  I  I  G  R  A  D  U  A  N  D  E  R
T  U  A  E  N  M  D  L  E  U  C  K  T  F  L
N  Q  Q  E  R  O  A  E  A  C  J  T  X  F  B
U  L  J  K  R  K  B  H  T  U  U  I  X  V  U
P  A  D  D  E  D  A  R  E  A  R  D  X  R  R
P  R  O  S  P  E  C  T  O  K  U  E  E  I  I
N  A  M  O  W  R  E  P  U  S  Y  D  A  S  A
C  O  N  V  O  C  A  T  I  O  N  W  A  T  N
G  R  A  D  U  A  T  E  S  H  I  P  F  R  E
P  I  H  S  N  R  E  T  N  I  H  M  S  G  G
E  T  A  L  U  C  I  R  T  A  M  H  W  Q  T
O  R  N  I  T  H  O  L  O  G  Y  T  Y  T  P
P  R  E  R  E  Q  U  I  S  I  T  E  E  U  F
```

CALIBRATION	GRADUATESHIP	PROSPECT
CHEF	INTERNSHIP	REAL
CLERK	LAUREATE	SEDUCE
CONVOCATION	MARLBURIAN	SORBONIST
DIVIDE	MATRICULATE	SUPERWOMAN
GMAT	ORNITHOLOGY	WYKEHAMIST
GRADUAND	PADDED	
GRADUATED	PREREQUISITE	

WEDDING PLANNING

```
S  D  I  A  N  A  D  L  B  E  N  I  J  D  E
L  M  L  E  V  E  N  T  O  L  J  U  O  E  N
F  A  A  A  T  C  V  W  I  P  A  Q  J  S  G
O  N  T  N  C  N  K  E  I  S  E  M  R  T  R
R  D  J  S  D  I  E  C  F  T  Y  Z  E  I  A
W  A  G  M  Y  A  T  T  S  G  N  O  L  N  V
A  P  C  S  F  R  P  S  R  R  E  E  T  E  E
R  U  I  V  H  F  C  A  I  E  E  V  S  D  N
D  N  A  M  S  M  O  O  R  G  V  V  G  S  D
E  U  G  I  R  T  N  I  M  L  O  D  E  O  I
S  C  I  T  S  I  G  O  L  X  C  L  A  S  J
O  B  J  E  C  T  I  O  N  X  M  D  Q  N  P
E  V  I  T  C  E  J  B  O  P  K  Y  A  V  I
T  N  A  I  C  I  F  F  O  Z  H  D  D  Z  C
M  S  I  T  A  T  S  T  R  A  T  E  G  Y  Y
```

BLAME	GROOMSMAN	MANDAPA
CRYSTAL	INADVERTENT	OBJECTION
DANAIDS	INTRIGUE	OBJECTIVE
DESTINED	LOGISTICAL	OFFICIANT
ENGRAVE	LOGISTICS	SEVER
EVEN	LONGS	STATISM
EVENT	LOPEZ	STRATEGY
FORWARD	MANDAP	WITNESS

Puzzle #69

GOLF

```
B L A C K B A L L T G E R O F
F A E X P L O D E N O A U V R
R E C G N I F L O G K V L D I
R E S K G O W F U H B J I F N
H E D C L I N K S A V Y O D G
Y A P N U F O R E C A D D I E
B L Z P U E T A R E T E V N I
R I S A A O E I H S A M H P X
I K H Y R C F H C T A R C S X
D E A S W D I T E K C O S K W
T S F L H S I D N A L T U O E
I R T W Z O C R N L R A O O V
O K O T R X O Z W A P Z M H J
Q L W P J S D T W H H R W Z H
S M H M S B H X W N W V E R D
```

BACK
BLACKBALL
DIVOT
EXPLODE
FESCUE
FLAG
FORE
FORECADDIE
FOUNDER

FRINGE
GOLFING
GOWF
HANDICAPPER
HAZARD
HYBRID
INVETERATE
LIKE
LINKS

MASHIE
OUTLANDISH
SCRATCH
SHAFT
SHOOT
SOCKET
SPORT

GREAT MOMENT

```
S  P  I  R  I  T  E  N  I  G  X  J  Y  W  J
C  U  T  T  I  N  G  L  D  W  N  U  U  G  H
T  S  A  L  L  Q  T  J  Y  T  P  I  R  E  I
Z  M  U  C  H  A  R  G  E  A  B  L  Y  C  Y
K  A  I  R  O  S  T  V  O  W  S  V  Y  R  N
E  X  T  E  M  P  O  R  I  Z  E  E  F  L  C
N  A  D  I  R  F  J  V  O  T  S  J  B  U  P
L  E  G  I  O  N  A  R  Y  M  S  X  X  X  I
M  U  L  T  I  T  U  D  E  Y  M  O  C  U  G
D  E  Y  O  J  R  E  V  O  Y  L  I  P  R  G
T  E  C  I  O  J  E  R  W  O  R  H  T  I  E
H  N  S  U  O  U  T  P  M  U  S  H  S  O  R
M  E  I  T  O  U  C  H  D  O  W  N  R  U  Y
T  V  U  O  R  U  O  L  R  U  O  T  A  S  Y
U  K  U  K  P  F  Q  D  W  Z  Q  Z  D  F  D
```

BESAYLE	LAST	POST
CHARGEABLY	LEGIONARY	REJOICE
CRUX	LUXURIOUS	SPIRIT
CRYING	MUCH	SUMPTUOUS
CUTTING	MULTITUDE	THROW
EXTEMPORIZE	NADIR	TOUCHDOWN
IMMORTAL	OVERJOYED	TOURLOUROU
JUEY	PIGGERY	
KAIROS	POINT	

HERO

```
A  L  D  I  N  G  T  O  N  R  K  T  A  L  K
U  S  E  S  I  G  M  U  N  D  O  A  E  J  J
P  E  Z  I  R  E  L  D  W  O  B  L  E  A  K
E  B  G  P  N  C  Y  C  L  E  N  V  Y  R  Z
C  C  A  N  T  A  G  O  N  I  S  T  U  A  B
J  W  H  S  V  D  D  T  N  A  I  L  A  V  T
A  L  N  A  S  C  H  A  R  I  S  M  J  F  H
D  D  H  H  I  C  H  A  P  P  I  O  N  O  E
E  A  U  E  I  R  F  A  B  U  L  O  U  S  R
O  Z  I  C  R  C  I  T  S  I  O  R  E  H  O
I  R  I  M  A  O  S  S  A  L  G  L  W  O  I
A  Y  E  O  O  T  I  P  O  L  T  R  O  O  N
D  V  Q  H  R  N  N  C  E  U  T  R  I  V  E
Y  D  W  Y  S  E  W  I  N  D  M  I  L  L  C
X  Z  I  T  P  I  H  U  B  Z  W  X  Q  D  Z
```

ALDINGTON	DANIEL	SHERO
ALNASCHARISM	DUCAT	SIGMUND
ANTAGONIST	FABULOUS	TALK
BOWDLERIZE	HEROIC	TAYLOR
BREAK	HEROINE	VALIANT
CHAIR	HEROISTIC	VIRTUE
CHAPPION	HEROIZE	WINDMILL
CYCLE	OWLGLASS	
DAIMON	POLTROON	

MAGIC

```
I  R  A  V  D  N  A  T  B  M  M  Z  E  M  I
C  I  T  E  M  R  E  H  E  J  U  G  G  L  E
B  X  P  Y  M  C  J  O  W  N  T  I  T  M  W
E  R  I  S  P  V  K  T  I  O  I  S  L  U  I
Y  T  X  X  U  V  B  H  T  M  W  K  Z  E  S
T  S  I  C  R  O  X  E  C  U  L  W  N  F  H
O  L  E  I  O  I  V  H  S  H  R  O  O  M
N  O  I  T  A  N  I  C  S  A  F  F  S  P  Y
O  Q  X  G  L  F  R  A  I  N  S  T  O  N  E
Q  R  N  U  A  H  C  E  R  P  E  L  K  Q  J
N  E  P  E  N  T  H  E  S  F  S  M  K  H  B
W  A  C  K  Y  Z  U  Q  B  W  Q  U  X  C  M
C  C  P  K  X  L  Z  R  X  E  S  V  A  J  X
A  E  R  U  J  N  O  C  E  R  F  B  B  N  K
P  R  E  S  T  I  G  I  O  U  S  X  Y  M  I
```

ANDVARI
BEWITCH
EXORCIST
FASCINATION
HELIUM
HERMETIC
INAUSPICIOUS
JUGGLE

LEPRECHAUN
LIGATURE
MUTI
NEPENTHES
PIXIE
POWWOW
PRESTIGIOUS
RAINSTONE

RECONJURE
SHROOM
THOTH
WACKY
WISH
ZEMI

CLASSROOM

```
C  A  R  H  Y  S  E  E  A  A  P  Y  W  L  M
B  I  I  O  C  A  U  C  N  S  A  Q  L  E  I
O  S  M  M  O  O  T  N  A  S  P  Y  J  A  C
J  L  D  E  J  D  S  S  R  N  E  F  B  R  R
K  E  T  R  D  L  N  V  C  U  R  U  H  N  O
K  A  A  O  B  A  U  I  H  V  L  U  Q  I  C
U  R  Y  O  T  Y  C  N  I  I  E  Y  F  N  O
W  D  O  M  Q  K  Z  A  C  E  S  V  C  G  S
K  R  O  W  E  S  R  U  O  C  S  D  Q  K  M
A  E  V  E  D  V  I  N  F  E  C  T  E  D  I
I  B  R  S  Z  L  L  E  V  I  T  A  T  E  C
L  W  Y  M  I  M  E  O  G  R  A  P  H  N  A
P  R  A  X  I  S  D  I  V  T  U  M  U  L  T
R  A  M  B  L  I  N  G  F  E  F  J  S  B  X
C  D  N  E  T  R  A  G  R  E  D  N  I  K  J
```

ACADEMIC	INDOOR	PRAXIS
AISLE	INFECTED	RAMBLING
ANARCHIC	KINDERGARTEN	STAY
COURSEWORK	LEARNING	TUMULT
DEVOLVE	LEVITATE	UNRULY
FIELDWORK	MICROCOSMIC	
FURNACE	MIMEOGRAPH	
HOMEROOM	PAPERLESS	

Puzzle #74

BICYCLE

```
S  L  Y  Z  A  L  C  H  B  E  M  O  P  E  D
E  P  E  X  D  H  H  E  I  F  G  O  H  M  G
F  L  I  E  D  C  A  A  C  R  P  N  E  Q  F
R  G  T  N  H  T  I  D  Y  A  E  S  A  T  N
E  I  E  T  N  W  N  E  C  M  D  I  D  H  L
E  C  N  A  E  I  A  R  L  E  O  N  S  I  C
W  P  I  F  R  F  N  T  I  S  M  G  E  E  U
H  T  M  L  L  S  T  G  A  E  O  L  T  V  N
E  K  Q  U  L  A  H  R  N  T  T  E  H  E  S
E  V  Y  W  P  A  T  I  E  Y  O  T  I  R  A
L  O  M  Q  N  F  T  A  F  A  R  R  E  Y  D
E  N  E  D  D  I  R  E  B  T  D  A  O  J  D
R  W  I  P  E  O  U  T  M  L  E  C  H  S  L
C  I  T  S  I  M  I  T  P  O  E  K  D  R  E
C  I  T  A  M  U  E  N  P  R  W  V  Z  N  W
```

AWHEEL	HEADSET	RIDDEN
BICYCLIAN	INFLATABLE	SINGLETRACK
CHAIN	LAZY	SPINNING
CHANGE	METALLIC	THIEVERY
FETTLE	MOPED	TREAD
FRAMESET	OPTIMISTIC	UNSADDLE
FREEWHEELER	PEDOMOTOR	WIPEOUT
GEARSHIFT	PNEUMATIC	
HEADER	PUMP	

MONEY

```
R  T  F  L  A  T  W  B  T  I  C  I  F  E  D
N  E  A  D  I  S  S  A  V  I  N  G  Z  A  C
C  W  D  O  G  C  P  N  R  L  A  C  S  I  F
G  N  O  D  C  O  U  K  D  D  S  K  I  N  K
R  N  A  D  I  M  L  N  S  U  O  N  I  U  R
H  U  I  R  Y  N  L  O  S  T  O  C  K  M  C
S  S  P  P  F  G  G  T  K  W  O  N  G  A
I  T  A  E  S  Z  N  E  C  O  N  O  M  I  C
P  Z  U  L  E  A  Z  I  K  J  U  U  V  W  X
U  X  B  M  P  C  R  K  T  I  B  O  S  E  L
E  J  C  E  P  S  L  G  F  S  R  Z  F  D  A
S  S  E  L  T  F  I  R  H  T  H  G  B  G  C
H  I  Q  F  W  X  C  F  K  T  M  E  U  E  S
Y  A  R  W  D  K  L  K  M  Y  I  C  D  T  J
R  F  A  X  P  K  L  D  A  W  V  N  L  H  T
```

BANKNOTE	FRANC	STOCK
COAT	GRASPING	STUMP
DEFICIT	PULL	SUNK
DISSAVING	REDDING	THRIFTLESS
DOWN	RUINOUS	TUGRIK
DRAW	RUPEE	WEDGE
ECONOMIC	SKIN	WONGA
FISCAL	SPLASH	
FLAT	STINGY	

Puzzle #76
OFFICE

```
A  S  P  I  R  A  N  T  K  L  L  A  C  C  N
C  U  B  E  O  Y  O  H  E  N  K  O  H  I  O
S  S  I  M  S  I  D  D  R  E  A  H  I  C  C
E  T  A  R  O  T  C  E  L  E  L  B  E  E  T
E  V  I  T  U  C  E  X  E  Q  V  M  F  R  U
E  L  B  I  G  I  L  E  N  I  R  O  T  O  R
L  E  G  A  T  E  S  H  I  P  T  U  A  N  N
Y  L  E  N  N  O  S  R  E  P  E  L  I  A  F
O  P  E  R  A  T  O  R  S  H  I  P  N  G  H
P  W  U  P  R  E  P  O  S  I  T  U  R  E  E
G  H  Y  C  N  E  G  E  R  G  I  K  Y  Z  F
B  L  X  J  C  P  I  H  S  A  W  H  S  E  P
S  T  R  I  P  O  S  I  T  T  I  N  G  M  M
E  T  A  R  I  V  M  U  T  X  E  S  R  K  S
Y  H  T  A  P  M  Y  S  X  U  D  A  D  K  B
```

ASPIRANT	EXECUTIVE	PERSONNEL
BANK	INELIGIBLE	PESHWASHIP
CALL	LEET	PREPOSITURE
CHIEFTAINRY	LEGATESHIP	REGENCY
CICERONAGE	NOCTURN	SEXTUMVIRATE
CUBE	OCCUPY	SITTING
DISMISS	OPERATORSHIP	STRIP
ELECTORATE	OVER	SYMPATHY

WRESTLING

```
A B A C K F A L L B T S A C D
D E A R O M R R L T A L F R E
V G L C O R I O O A J N D E R
E Y M B K D N L P S F M G E E
R M T I A H A E E S H X M G
S N K O D Y E H R R Q I W Y U
A A U I L D O E C Z P T C X L
R S O M U S L J L U D L I S A
Y T R I R N C E N E L S O N T
R I N G S I D E W E P D E V E
N C L A C I R T S E L A P D A
R I N G S I D E R K I M S V F
E L T S E R W R E V O G Y F M
S R O S S I C S P X F E H T F
D L O H E L G N A R T S L T T
```

ADVERSARY	ENJOYABLE	PRELIM
BACKFALL	FALL	RINGSIDE
BACKHEEL	GYMNASTIC	RINGSIDER
BANG	LUCHADOR	ROPE
CAST	MIDDLEWEIGHT	SCISSOR
CORNER	NELSON	SCISSORS
CREEM	OVERWRESTLE	STRANGLEHOLD
DEREGULATE	PALESTRICAL	SUMO

MAPS

```
F  A  T  C  C  O  L  L  A  T  I  O  N  E  S
T  I  R  N  A  H  R  K  M  J  W  F  D  A  C
X  H  L  D  I  R  A  O  I  A  O  L  V  S  A
G  C  G  O  Y  R  T  R  T  O  P  M  Q  T  L
J  L  V  I  F  H  P  O  T  A  S  P  B  B  E
V  U  H  P  R  A  R  E  G  O  U  K  I  C  S
R  T  U  W  C  Y  X  E  U  R  M  Q  W  N  G
O  R  O  G  R  A  P  H  E  L  A  E  E  X  G
E  I  B  E  E  R  F  O  Z  T  B  P  T  M  V
Y  A  L  R  E  V  O  X  C  X  T  X  H  E  U
L  I  T  H  O  G  R  A  P  H  Y  E  Z  Y  R
N  O  I  T  A  G  I  V  A  N  D  S  Z  V  S
R  O  T  A  G  I  V  A  N  Z  Z  F  C  A  E
P  A  N  T  E  L  E  G  R  A  P  H  N  N  G
R  E  H  S  I  L  B  U  P  P  K  W  R  G  A
```

BLUEPRINT	FREEBIE	OROGRAPH
CARTOGRAPHY	GAZETTEER	OVERLAY
CHARTOMETER	HYDRA	PANTELEGRAPH
COLLATION	KIOSK	PUBLISHER
COPYRIGHT	LITHOGRAPHY	SCALE
EAST	MAPPING	
EQUATOR	NAVIGATION	
FILOFAX	NAVIGATOR	

TREE

```
H E A D U O J A C A B P V L M
V O H G N T I U R F D A E R B
C O U M A O G K N I G H L K H
L O U R O A M A R G O S A M M
B U D D I N G L M A S T I C Y
H T I E Y N E A G N E E R G
M A L E N T I S C U S P S D X
O O Z A S A E K I L C M P M I
R F U E B I L F S T C I H K W
I Z N T L U N P P T Q D B G E
N H Z F A S G S I F A K A A H
G Y K R I N R N R C E H P K S
A A X K X L W N U I H J T Q R
D C R G A S B U N M N R V W E
D O O W E L P R U P M G V B U
```

ACAJOU	GREENGAGE	MOUTAN
ALMOND	HAZEL	MUNGUBA
BALM	HEAD	PLANE
BALMY	LENTISCUS	PURPLEWOOD
BREADFRUIT	LOURO	SABICU
BUDDING	MARGOSA	SIFAKA
COUMA	MASTIC	SINSRING
GINKGO	MORINGAD	SKIN

BUNGEE JUMPING

```
N  L  L  E  W  E  L  L  Y  N  A  R  M  R  B
M  A  L  H  C  J  L  N  T  D  I  E  B  O  R
M  Q  I  A  E  N  U  D  P  N  L  H  L  J  E
R  E  C  R  C  P  U  M  R  H  A  X  P  F  A
M  O  U  S  E  F  T  O  P  U  L  T  Z  L  K
E  S  U  O  L  V  B  A  B  S  H  W  L  M  A
N  X  H  P  O  I  O  W  T  K  U  N  E  A  E
R  J  X  E  A  O  G  N  K  H  D  I  M  C  S
C  I  T  I  G  R  A  D  A  E  L  E  T  H  K
X  T  N  E  I  L  A  S  H  H  U  O  G  I  I
F  R  D  E  R  S  W  C  S  F  H  B  N  L  T
C  I  T  A  M  G  E  L  H  P  R  P  U  I  T
E  C  N  A  S  S  I  U  P  U  F  Q  V  D  I
M  A  E  N  O  I  T  C  I  R  T  S  E  R  S
P  A  R  A  T  R  O  O  P  E  R  E  U  C  H
```

ALPHIN	HURDLE	PHLEGMATIC
BOUNCE	JUMPSUIT	PUISSANCE
BREAK	LLEWELLYN	RESTRICTION
CALL	LOUSE	SALIENT
CITIGRADAE	MACHILID	SALTANT
FLEA	MOUSE	SKITTISH
HANOVERIAN	PARACHUTE	
HEPTATHLON	PARATROOPER	

FISH

```
C  L  H  F  I  S  H  E  R  F  O  L  K  A  S
R  A  L  S  S  E  L  H  S  I  F  D  A  E  H
Z  E  T  U  I  J  D  C  S  S  R  L  I  O  S
T  R  D  F  D  F  C  I  R  H  N  O  A  Y  S
U  U  F  D  I  Z  N  Z  O  Y  V  E  O  E  U
H  B  D  S  J  S  D  I  R  Y  M  R  O  M  K
R  E  T  S  Y  O  H  L  F  P  H  S  N  N  S
H  O  L  O  C  E  N  T  R  I  D  T  S  G  S
H  S  I  F  P  L  E  K  D  F  I  O  H  C  W
R  E  I  D  N  O  P  E  S  R  U  N  E  C  H
M  A  I  F  W  W  W  H  A  N  G  E  R  M  I
T  P  E  K  G  Y  A  D  E  D  Z  F  S  Y  T
Y  U  E  H  O  N  H  P  X  P  S  I  I  C  I
O  P  O  E  S  M  I  N  S  A  A  S  P  J  N
M  N  W  W  L  N  S  K  D  X  Y  H  L  R  G
```

CATFISH	ICHTHYOID	SMOKIE
DULL	KELPFISH	SMOOR
FINFISH	KINGFISH	SOAL
FISHERFOLK	MORMYRID	SOIL
FISHLESS	NURSEPOND	SPAWN
FISHY	OYSTER	STONEFISH
HEAD	REDD	WHANGER
HOLOCENTRID	SHEAR	WHITING

Puzzle #82

WILD

```
K S E N N A E T A M I L C C A
O L B U G L E C H A R L O C K
I G A E T A R E P S E D H L W
R S N T H E R D N D F Z O K A
O H S O S T A S L I B I W K R
P M O E D E O E Q I U G L A T
O X S G L T R M L B W G W W H
T C T I S N N G B I H E N J O
A W E M D T R E A O T T R E G
M B A S W A E E L W Y A O U P
U H C N U R N E V U N I L R D
S V E N E R Y E R O B L D O F
M O U F L O N K A S G R Z K V
R A K E H E L L Y M V X U N O
E C N E M E H E V M N Y K T Z
```

ACCLIMATE
AGRESTAL
BUGLE
CHARLOCK
DESPERATE
DONG
DZIGGETAI
GOVERNLESS
HERD

HOGSTEER
HOWL
KOIROPOTAMUS
MAENADISM
MOUFLON
PENGUIN
RAKEHELLY
REWILD
RUNCH

SENNA
TOMBOY
TURBULENT
VEHEMENCE
VENERY
VOLATILE
WARTHOG

COUNTRY

```
D O M I N I C A Z D A O R B A
S A R U D N O H M Y C H A S E
I T A B I R I K S A G U M A C
A I B I M A N E T E N R G C O
P A R T H I A H V E T O Y W R
D E B U J U J K A A I T R K R
E E A E J W M I R B L V L Z I
F U S W N O T N P K O C O E D
E B I O C G O T H N D T N S O
N E B O L L Q R K C T Z U E R
S E M F D A D Y Q Z V I M A S
E O R E R U T C A F U N A M G
R E U N I F Y I H E A E Z K W
E U S Y C A R C O T P E L K Y
L A N D S C A P E N I T P M L
```

ABROAD	HONDURAS	MANUFACTURER
AUTOBAHN	JUJUBE	NAMIBIA
CHASE	KINTRY	PARTHIA
CORRIDOR	KIRIBATI	REUNIFY
DEFENSE	KLEPTOCRACY	SETTLE
DESOLATION	KYRGYZ	SOVIET
DOMINICA	LANDSCAPE	
ENCLAVE	MANOR	

RUGBY

```
A  S  D  R  A  W  D  E  L  Y  M  M  U  D  U
M  D  P  K  M  F  P  E  O  Y  P  A  E  V  N
A  P  L  E  I  E  R  R  M  P  N  A  H  N  D
B  H  I  O  E  C  N  F  U  S  I  A  C  W  E
O  N  B  M  B  J  K  I  O  G  P  T  G  K  R
K  M  C  B  R  I  D  E  N  O  B  A  C  H  W
O  F  S  W  I  N  G  E  R  G  T  Y  C  H  O
B  N  E  E  T  F  I  F  V  P  A  B  J  E  O
O  O  K  A  T  E  C  N  A  I  L  L  A  D  D
K  C  A  B  L  L  U  F  E  U  G  A  E  L  L
O  V  P  R  E  M  I  E  R  S  H  I  P  Z  L
R  E  C  U  P  E  R  A  T  E  H  S  P  T  J
E  T  I  R  E  G  G  U  R  E  P  P  I  K  S
S  Z  P  G  V  E  O  W  C  Z  S  A  P  H  E
F  M  G  E  J  F  X  Z  X  S  P  Q  W  F  F
```

AMABOKOBOKO	KICK	RECUPERATE
BRITTLE	LEAGUE	RUGBY
DALLIANCE	LOMU	RUGGERITE
DUMMY	LYNAGH	SKIPPER
EDWARDS	MCBRIDE	SPACE
FIFTEEN	MENINGA	UNDERWOOD
FOOTBALL	PACK	WINGER
FULLBACK	PITCH	
JEEPS	PREMIERSHIP	

FOOD ADDITION

```
N  L  C  H  D  I  E  T  A  R  Y  I  R  G  N
E  O  A  I  T  D  I  N  N  E  R  A  A  R  A
R  T  I  I  B  R  G  N  A  K  A  M  B  O  R
P  E  A  T  R  A  A  N  T  I  D  S  B  U  C
R  I  D  R  C  A  T  E  I  F  S  I  I  N  O
R  E  G  N  O  I  B  I  D  L  D  L  T  D  T
O  O  C  S  U  C  D  I  O  B  N  K  O  N  I
R  X  U  H  W  O  L  D  C  N  C  E  H  U  S
Q  G  O  N  A  I  L  U  A  P  B  N  E  T  M
Q  A  G  B  D  U  L  F  D  A  Z  U  Z  R  D
B  P  B  E  E  Q  F  L  T  E  X  D  P  D  G
T  O  U  C  H  K  B  F  S  O  P  P  I  N  G
S  L  I  P  S  L  O  P  E  N  L  W  L  J  N
S  W  A  L  L  O  W  M  F  R  L  Q  B  X  M
P  X  J  D  U  E  J  A  S  I  U  X  H  O  Y
```

ADDICTION	GREENLING	SILKEN
CIBARIAL	GROUNDNUT	SLIPSLOP
CIBATION	MAKAN	SMOKEBOX
DEARTH	NARCOTISM	SOPPING
DIETARY	PIGSWILL	SWALLOW
DINNER	RABBITOH	SWILL
EDULCORATE	RECHAUFFE	TOUCH
FLOUNDER	ROUND	

CAR

```
R  P  A  R  K  T  B  O  U  S  B  F  L  I  P
C  A  Y  H  O  R  E  U  C  A  R  L  E  S  S
O  A  C  M  C  T  A  N  R  T  A  M  H  P  R
N  A  R  Y  O  T  A  C  N  L  K  R  U  A  E
V  S  A  A  D  N  A  R  E  O  E  W  B  I  S
E  W  Z  X  V  N  O  H  E  S  B  G  C  N  P
R  D  I  K  S  A  I  C  R  N  R  D  A  T  R
T  H  S  M  J  U  N  K  E  R  E  O  P  W  A
I  D  L  O  H  D  N  A  H  L  A  G  H  O  Y
B  R  E  N  R  A  E  L  G  N  I  W  S  R  L
L  R  E  D  L  O  H  Y  C  I  L  O  P  K  U
E  S  C  U  T  T  L  E  T  W  O  C  K  E  D
T  A  I  L  G  A  T  E  X  C  I  F  Z  H  R
M  Y  P  S  R  N  U  H  F  B  W  N  V  V  Z
G  I  Q  U  P  R  J  T  T  U  J  M  T  U  A
```

BONNET	HANDHOLD	POLICYHOLDER
BRAKE	HATCH	RESPRAY
BURL	HORSECAR	SCUTTLE
CARAVAN	HUBCAP	SKID
CARLESS	INDYCAR	SWING
CONVERTIBLE	JUNKER	TAILGATE
ECONOMY	LEARNER	TWOCKED
FLIP	PAINTWORK	
GENERATOR	PARK	

COOKING

```
N O A L A C A B R S A W E T S
D A C J A A N C R E T S M K R
N A S E T O Z A P E K I L U X
I I R E J X C L Z H W O R A O
M H T I M K C A H S K O O C S
D A S A O R W Y T J G N C C S
P E R U R L A F A T I G U E S
S R T M B G E P M D V L Y S A
C N E T A O E R A W N E V O F
R A E C O L U M L M X L H G F
O P K D O P A S E L B D P B R
D V R K D O U D T L W P I L O
F B B E I O K T E A S P O O N
X Q C H O T S A B Q K G U H M
T A M A R I N D Y X J Y F M S
```

BACALAO	KATSUOBUSHI	SCROD
BREW	MARMALADE	SODDEN
COOKER	OVENWARE	STEW
COOKSHACK	PARMESAN	STIR
DARIOLE	POTTED	TAMALE
EPAZOTE	PRECOOK	TAMARIND
FATIGUES	SAFFRON	TEASPOON
GRATIN	SALSA	TIKKA

FITNESS MOTIVATION

```
M  S  I  K  C  O  R  D  E  N  N  A  C  O  H
L  Y  C  D  R  O  C  N  O  C  E  G  D  E  A
Y  A  C  I  E  E  M  E  A  I  N  R  O  P  P
S  T  I  N  B  L  L  I  P  X  D  E  P  R  P
R  U  I  N  E  O  P  T  L  I  E  P  P  E  I
E  S  P  L  E  I  R  M  T  E  R  L  O  P  N
G  C  T  M  I  G  N  E  A  E  R  Y  R  A  E
I  R  I  C  A  B  N  E  A  X  F  P  T  R  S
M  U  E  D  E  C  A  O  V  H  E  F  U  A  S
E  P  N  B  W  L  O  S  C  N  V  X  N  T  P
N  L  T  D  A  O  E  P  I  W  O  Z  I  I  Z
E  E  A  M  L  K  M  S  P  D  N  C  T  O  E
P  R  O  T  O  L  I  T  H  I  C  L  Y  N  D
S  E  N  I  O  R  I  T  I  S  H  D  M  M  A
N  O  I  T  A  M  A  L  C  E  R  F  Q  F  Z
```

AEROBICS	FETTLE	REGIMEN
CANNED	HAPPINESS	REPLY
CONCORD	HIPPOCAMPUS	RIPE
CONGENIAL	OPPORTUNITY	ROCKISM
CONVENIENCY	PRELIM	SCRUPLE
DISABILITY	PREPARATION	SELECT
EDGE	PROTOLITHIC	SENIORITIS
EXAMPLE	RECLAMATION	TIENTA

SAVING MONEY

```
S  T  L  E  E  S  M  D  F  L  D  L  W  E  I
I  K  N  U  L  T  Y  O  R  N  E  E  M  S  K
M  N  N  E  F  B  O  W  A  J  P  P  E  U  N
K  O  C  A  G  I  A  N  N  L  O  X  R  P  Y
H  C  N  O  H  R  T  S  C  U  S  D  I  E  Y
U  R  A  G  M  O  A  N  N  A  I  T  T  R  V
D  G  A  S  O  E  I  C  U  E  T  V  O  H  K
D  E  T  B  E  D  N  I  J  O  P  V  R  E  I
M  I  L  L  I  M  E  V  E  D  B  M  I  R  A
E  M  B  A  R  R  A  S  S  E  D  M  O  O  R
H  Y  M  Q  R  L  L  E  H  S  W  J  U  C  G
P  K  S  O  L  I  D  A  R  E  E  G  S  V  Z
N  I  Y  I  T  M  A  A  F  T  O  J  N  O  X
Q  T  S  T  I  P  E  N  D  I  A  R  Y  H  I
S  T  O  P  P  E  D  W  F  X  Y  G  X  G  Z
```

ARGENT
BOUNTIFUL
COMPENSABLE
DEPOSIT
DOWN
EMBARRASSED
FRANC
HANKS
INCOME

INDEBTED
LWEI
MERITORIOUS
MILLIME
MONGO
NAIRA
NGWEE
NOTE
SACK

SHELL
SOLIDARE
STIPENDIARY
STOPPED
SUPERHERO
TIYIN
TOEA

HALLOWEEN

```
N  Y  A  L  L  O  Y  L  E  V  I  T  R  U  F
K  I  T  E  N  I  T  S  E  D  N  A  L  C  R
C  C  A  I  M  Y  H  A  L  L  O  W  L  E  E
G  U  A  H  D  U  L  H  A  U  N  T  E  D  A
M  N  R  R  M  R  T  H  R  O  T  C  E  H  K
A  W  I  M  B  A  U  S  T  E  B  W  S  C  Y
S  N  X  M  U  M  S  S  O  A  R  U  A  Z  I
K  F  F  I  O  D  R  Y  B  C  E  T  H  P  B
W  G  O  W  L  C  G  A  B  A  E  D  U  U  S
H  O  O  P  L  A  H  E  B  N  O  I  T  O  N
P  O  T  I  O  N  J  T  O  S  N  Z  Z  X  L
N  O  T  E  L  E  K  S  R  N  T  L  R  M  J
G  L  E  E  F  U  L  L  Y  O  U  A  F  B  H
Y  L  B  I  D  E  R  C  N  I  F  I  S  T  L
S  A  F  E  G  U  A  R  D  Y  O  E  F  H  V
```

ABSURDITY	FREAKY	MASK
ALLOY	FURTIVELY	NOTION
BARMBRACK	GLEEFULLY	OUTRE
CLANDESTINE	HALLOW	POTION
COSTUME	HAUNTED	SAFEGUARD
CURMUDGEON	HECTOR	SAMHAIN
DEATHLY	HOOPLA	SKELETON
FORTHCOMING	INCREDIBLY	STASH

HOTEL

```
H  O  S  T  A  U  B  E  R  G  E  K  A  H  U
C  D  F  A  C  I  A  L  G  A  T  E  N  N  U
H  A  O  M  H  A  R  B  O  R  N  Q  S  A  D
E  P  R  O  O  R  E  I  L  E  T  O  H  D  B
E  T  O  A  R  O  N  A  M  E  S  U  O  H  F
R  N  A  T  V  M  R  D  R  O  L  D  N  A  L
L  I  K  M  M  A  A  L  N  O  I  S  N  E  P
E  G  R  K  N  A  N  N  L  R  E  V  A  M  P
S  H  Q  A  G  I  N  S  F  I  T  N  T  J  R
S  T  X  K  D  E  C  N  A  I  R  U  X  U  L
B  R  O  T  E  I  R  P  O  R  P  G  O  Y  N
E  S  U  O  H  D  A  O  R  V  Y  N  B  T  P
R  E  C  E  P  T  I  O  N  I  S  T  J  Z  B
M  U  I  R  A  L  O  S  X  W  F  G  J  D  V
T  E  M  P  E  R  A  N  C  E  H  Y  J  L  Z
```

AUBERGE	HOST	PROPRIETOR
BANK	HOTELIER	RECEPTIONIST
CARAVANSARY	HOUSEMAN	REVAMP
CHEERLESS	INMATE	ROADHOUSE
DOORMAN	LANDLORD	SOLARIUM
FACIAL	LUXURIANCE	TEMPERANCE
GATE	NIGHT	TOUT
GRILLROOM	PENSION	
HARBOR	POTMAN	

MOVIE

```
T  E  B  U  F  F  C  R  O  S  S  C  U  T  M
E  R  P  D  T  T  E  H  T  P  L  I  P  S  A
L  Z  I  O  I  N  I  N  E  A  W  N  R  W  R
I  V  I  P  C  A  E  P  I  E  U  D  O  A  Q
X  E  E  T  L  S  L  M  A  P  S  T  D  S  U
N  N  T  A  E  O  A  U  E  O  Y  U  H  E  E
T  N  U  T  S  M  X  I  K  C  L  N  C  B  E
O  E  D  I  V  Y  E  U  B  U  O  F  T  U  G
E  N  V  I  S  I  O  N  H  P  N  D  I  C  Y
Z  P  O  P  U  L  A  T  I  O  N  M  O  K  V
S  T  U  N  T  M  A  N  C  C  U  G  N  L  N
D  E  T  C  A  R  T  O  R  P  N  M  Z  E  S
R  E  S  U  R  R  E  C  T  I  O  N  Y  O  G
D  R  A  O  B  Y  R  O  T  S  I  I  I  Q  F
R  E  L  L  I  R  H  T  E  N  I  P  L  U  V
```

BIOSCOPE	FLEAPIT	STUNT
BUFF	MARQUEE	STUNTMAN
CHEESY	OPINE	SWASHBUCKLE
CINEMATIZE	POPULATION	TAUT
CROSSCUT	PRODUCTION	THRILLER
DIAL	PROTRACTED	TRIPLEX
DOCUMENT	RESURRECTION	VIDEO
ENVISION	STORYBOARD	VULPINE

DATA ENTRY

```
A  N  Y  B  A  N  D  W  I  D  T  H  O  E  I
B  N  O  T  M  A  E  R  T  S  T  I  B  K  N
C  U  E  I  I  S  E  C  E  D  O  C  E  D  T
T  A  R  C  T  R  N  T  R  P  L  E  A  V  E
P  O  P  S  D  A  O  E  A  E  S  Z  R  L  R
R  Y  O  I  T  O  R  H  I  M  O  D  M  O  R
O  X  A  F  T  Y  T  T  N  I  C  H  R  O
P  Z  N  W  A  N  A  I  U  I  T  O  H  G
E  X  P  Z  E  W  L  O  L  B  A  F  S  H  A
R  R  A  C  K  T  S  R  M  B  R  U  E  E  T
T  B  I  O  G  R  A  P  H  I  C  A  L  D  E
Y  R  E  C  A  L  L  G  I  T  N  W  Z  B  J
E  P  O  C  S  O  R  O  H  E  M  A  S  N  R
N  O  I  T  P  I  R  C  S  N  I  R  T  D  W
A  T  A  D  O  R  C  I  M  D  D  V  R  E  O
```

ANECDOTAL	COERCE	INTERROGATE
ARBITRATION	DECODE	MICRODATA
AUTHORITY	DEFINIENS	NOMINATE
BANDWIDTH	ESTIMATE	PLEA
BIOGRAPHICAL	FOOT	PROPERTY
BITSTREAM	GATEWAY	RECALL
BURSTY	HOROSCOPE	
CAPITAL	INSCRIPTION	

DIVING

```
C  S  H  C  I  R  A  M  E  N  A  B  L  E  G
A  Y  U  D  H  M  K  X  U  B  P  M  U  J  A
Y  E  B  G  R  Y  U  W  O  R  E  O  Y  W  I
P  G  R  I  R  Y  D  R  A  R  D  R  K  I  N
A  T  O  O  S  E  R  R  H  T  W  G  M  E
B  B  S  L  E  T  M  U  O  E  T  I  F  P  R
F  V  U  P  O  M  E  D  I  P  Y  H  N  Y  P
E  D  W  C  L  Y  B  R  A  T  L  Q  G  X  L
S  G  P  P  S  A  H  O  L  E  N  A  A  I  U
P  E  N  G  U  I  N  T  L  J  H  E  N  U  N
N  E  O  P  R  E  N  E  H  I  F  D  P  E  G
P  O  C  H  A  R  D  N  S  C  S  J  E  L  E
L  I  A  T  F  F  I  T  S  M  I  M  X  R  O
R  G  V  E  A  R  X  W  V  X  A  U  A  L  N
T  O  M  B  S  T  O  N  I  N  G  N  Z  Y  S
```

AEROEMBOLISM	JUMP	POCHARD
AMENABLE	MERGUS	REDHEAD
CYBISTER	MURRE	RICH
DRUM	NEOPRENE	SCUBA
DRYSUIT	NIGHTHAWK	STIFFTAIL
GAINER	NITROX	TOMBSTONING
GREBE	PENGUIN	WIMP
HYDROPLANE	PLANESMAN	
ICHTHYOLOGY	PLUNGEON	

HOLIDAY

```
A  D  E  C  K  E  R  D  F  I  E  S  T  A  H
F  T  N  Y  E  O  O  E  M  I  O  O  C  W  A
D  N  B  F  Y  X  Z  K  L  D  I  L  W  A  M
D  G  O  A  Q  Q  T  K  A  Y  I  J  I  N  P
Y  A  D  I  L  A  P  E  C  O  T  T  A  G  E
G  T  R  O  S  E  R  R  N  S  U  M  M  E  R
H  A  K  K  U  N  A  H  Y  D  J  F  O  M  E
O  B  S  E  R  V  E  L  A  V  I  N  R  A  C
Y  A  W  A  T  E  G  C  R  E  D  C  O  A  T
L  A  I  R  O  M  E  M  S  O  Z  N  G  B  X
A  D  N  U  O  R  G  P  M  A  C  Z  G  D  I
N  O  I  T  A  C  Y  E  R  G  W  Y  V  Y  D
L  U  M  I  N  A  R  I  A  M  S  A  B  I  D
E  M  I  M  O  T  N  A  P  Q  W  S  I  H  D
S  T  A  Y  C  A  T  I  O  N  H  K  L  G  R
```

ABTA	FIESTA	MEMORIAL
ASCENSION	FMLA	OBSERVE
CAMPGROUND	GETAWAY	PALIDAY
CARNIVAL	GREYCATION	PANTOMIME
COTTAGE	HAMPER	REDCOAT
DECKER	HANUKKAH	RESORT
DEKKER	LUMINARIA	STAYCATION
EXTEND	MAWLID	SUMMER

GREEN

```
E E E X E D E S M I D C W H Y
R T L S Y C E P A R G H P O G
E E I P E L A R S W E A T N D
Y K T L P R A D E V E R T E N
T C A A O A B C U T M T Q Y U
A M M W E N B A M E A R S D T
E G A L L A I D L A V E S E W
S H A L L O T T G A I U G W K
L L A W K C I H C N C S W I Y
F A T S H E D E R A I E Z W F
Y R R E B E S O O G P W M W P
E T I R U G I L J L D E P G X
M O S S T O N E G B Z E E A P
E T I N O R T N O N N P D W L
E T I V O R A V U L E G Y M S
```

ACTINOLITE
APPLE
CALABRESE
CALYX
CHARTREUSE
DACE
DESMID
DIALLAGE
EATER

FATSHEDERA
FIGEATER
GOOSEBERRY
GRAPE
HICKWALL
HONEYDEW
LAPWING
LIGURITE
MOSSTONE

NONTRONITE
SHALLOT
SWEAT
SWEEP
UVAROVITE
VERT
WAKE

WRITING POETRY

```
D  P  R  M  V  B  E  Y  A  B  S  N  I  P  E
A  O  I  O  A  E  P  H  L  R  M  R  O  R  W
A  S  N  E  H  N  G  F  L  A  U  O  O  I  A
V  M  P  N  R  T  E  Z  I  C  I  O  R  E  H
E  L  I  H  E  I  U  A  T  H  A  P  L  N  Q
M  W  U  C  O  I  A  A  E  Y  L  I  M  O  H
T  K  V  P  E  D  S  N  R  L  E  J  W  W  D
S  C  R  E  E  D  E  H  A  O  Y  T  Z  L  J
Y  C  N  E  U  L  F  L  T  G  E  T  I  S  Q
D  N  A  H  N  I  O  J  E  Y  G  T  S  R  E
G  L  O  S  S  O  G  R  A  P  H  Y  B  F  W
H  A  P  L  O  G  R  A  P  H  Y  H  R  Y  E
M  Y  T  H  I  C  A  L  S  E  R  M  O  N  Q
R  E  T  E  M  A  T  N  E  P  Z  J  H  A  J
T  R  U  M  P  E  R  Y  G  B  S  L  N  W  X
```

ALLITERATE	GLOSSOGRAPHY	PULV
ASPHODEL	HAPLOGRAPHY	SCREED
AUTHOR	HEROICIZE	SERMON
BENT	HOMILY	SNIPE
BRACHYLOGY	JOINHAND	STYLE
DECIMA	MORN	TRUMPERY
DOLOUR	MYTHICAL	WRITE
DONNEISH	PENTAMETER	
FLUENCY	PIERIAN	

SELF DEFENSE

```
D  A  P  O  L  O  G  E  T  I  C  S  E  U  S
A  E  Y  H  C  R  A  T  U  A  B  I  K  E  U
S  U  T  B  E  T  A  K  E  D  L  A  V  E  K
N  U  T  C  T  N  E  D  I  F  N  O  C  A  V
D  O  O  O  E  C  O  N  S  C  I  E  N  C  E
I  E  I  G  C  F  B  W  N  L  Z  A  F  Y  K
G  T  L  A  R  F  E  M  O  S  E  N  O  L
N  T  A  T  A  H  A  A  W  I  S  S  G  X  U
I  Q  I  L  T  C  P  C  Y  A  R  R  D  V  N
F  Y  S  N  E  A  I  O  Y  F  L  J  E  B  S
I  G  A  E  U  W  B  D  T  S  G  L  X  P  U
E  H  J  Y  X  B  A  M  E  U  Y  Y  Q  J  R
D  R  E  T  T  O  P  S  E  D  A  A  U  Q  E
M  O  N  A  S  T  I  C  L  A  I  V  I  R  T
E  C  N  E  G  I  L  G  E  N  P  P  M  S  X
```

AFFECTED	CONSCIENCE	NEGLIGENCE
APOLOGETICS	DEDICATION	PERSON
AUTARCHY	DIGNIFIED	SPOTTER
AUTOCRACY	EMBATTLE	TALE
AUTOPHAGOUS	FEND	TRIVIAL
BETAKE	LAVE	UNIT
BIKE	LONESOME	UNSURE
CONFIDENT	MONASTIC	WALL

CHAT

```
G  B  U  B  R  E  E  Z  E  B  C  T  P  L  V
C  N  A  N  W  E  H  C  W  L  E  H  A  K  U
O  C  I  N  C  O  N  K  M  O  B  T  A  H  E
L  O  E  K  T  B  K  E  P  V  T  A  S  D  C
L  L  F  P  O  E  S  I  S  I  D  R  L  T  W
O  L  L  T  O  R  N  G  A  W  N  I  H  C
G  O  O  Y  F  H  B  I  R  T  J  R  P  L  E
U  Q  O  P  I  E  I  E  N  E  H  H  O  K  F
E  U  D  T  I  P  H  A  C  G  T  A  J  B  W
E  Y  B  O  N  B  O  H  N  A  P  T  B  G  A
R  E  K  R  U  L  O  O  X  U  F  B  A  X  R
P  H  O  N  O  L  O  G  Y  Q  R  Y  M  N  B
E  L  O  R  A  M  G  I  R  X  F  A  E  L  L
T  A  L  K  E  R  Y  R  E  L  T  T  A  T  E
R  E  P  S  I  H  W  S  K  S  G  C  G  Q  R
```

BANTERING	COLLOQUY	NATTER
BCNU	CONK	PHONOLOGY
BLOVIATE	EPTHIANURA	RIGMAROLE
BREEZE	FACEBOOKING	TALKER
CHAD	FLIRT	TATTLERY
CHAT	FLOOD	WARBLER
CHEW	HHOK	WHISPER
CHINWAG	HOBNOB	
COLLOGUE	LURKER	

EBAY SELLING

```
B E A C H C O M B E R I K Q H
B O U T I Q U E U K C R L C P
K C A B H S A C S I A I T E J
E B X M L L Z R K O R T N R D
N O I T A T O L F S R O J A M
E L B I S I V N I J Z C P Z P
J O B B E R M D S E R A W M S
P M M E R C H A N T A B L E E
N A R C P I H S R E N T R A P
A I R E U Q L U P K V Q B R O
W W R D S T U O L L E S R Q U
B H T R O W Y N N E P T C D B
T B U K J N R E T A I L I N G
K D D A R E E T I F O R P N J
R A L L O D O R T E P D S K G
```

BEACHCOMBER	INVISIBLE	PENNYWORTH
BOUTIQUE	JOBBER	PETRODOLLAR
BUSK	MAJOR	PROFITEER
CASHBACK	MARKETING	PULQUERIA
DELI	MERCHANTABLE	RETAILING
EBXML	PANIC	SELLOUT
EMPORIUM	PARDONER	VEND
FLOTATION	PARTNERSHIP	WARES

Part 2 - Solutions

RESTAURANT
Puzzle # 1

H	T	O	O	B	A	T	M	O	S	P	H	E	R	E
L	E	B	O	U	N	C	E	R		C				
C	E	T	B	R	E	A	S	T	A	U	R	A	N	T
H	C	B	T	K	T	S	E	U	G	S			F	M
E	O	O	A	E	O	E	E	E	R	T	N	E	O	I
C	F	S	N	B	U	O	K	G		O		O	S	
K	F	D	T	C		Q	C	I	A	M		D	L	
S	E		N	E	H		N		L	P		E	E	
P	E		E	S		A		Y		R	A			
E	H			T	S		B		D		Y	D		
C	O	Y	R	A	N	I	D	R	O		A			
I	U	R	O	S	T	I	C	C	E	R	I	A	L	
A	S	R	O	T	I	S	S	E	R	I	E			
L	E	F	F	I	R	A	T							
T	E	S	T	I	M	O	N	I	A	L				

SMARTPHONE
Puzzle # 2

I	S	D	N	L	B	D	E	V	I	C	E	M	A	L
N	D	A	P	Y	E	K	E	L	W	O	N	K	M	
T	L			E	T		G	I				I		
E	O	O		P		F		A	F			S		
R	P	C		E	I	B	O	M	G			C		
F		T	K	R	G	A	L	L	A	N	T	H		
A			I	O	V	E	R			E	I			
C	S	L	O	W	O	R	E	B	B	U	H	P	E	
E	N	O	T	Y	C	N	U	A	R	P	S	V		
P	L	A	Y	L	I	S	T				O			
R	O	B	O	C	A	L	L				U			
E	B	I	R	C	S	B	U	S			S			
D	E	H	S	I	L	B	U	P	N	U				
W	R	I	T	I	N	G								

NEWS
Puzzle # 3

B	C	R	C	H	I	L	L	D	R	A	W	O	C	E
	A	H	O	D	O	A	R		E	T	O	W	N	M
	T	N	E	S	I	U	I	U		T				B
	C		N	Q	N	S	R	N	F	F	I	R	G	E
	H		E	U	E	C	L	A	F		D			D
				R	E	C	O	Y	M	L		E		
P	I	S	S	O	G		B		U		O	E		
N	O	V	E	L	I	S	T	O		N		F		
T	E	L	H	P	M	A	P		O		T	P	N	
M	E	L	A	N	C	H	O	L	Y	K		L		I
I	N	D	I	F	F	E	R	E	N	T		A		
E	G	E	L	I	V	I	R	P			S			
C	N	U	N	D	I	U	Q				T			
S	P	E	E	C	H	L	E	S	S		E			
U	N	P	E	R	S	O	N		Y	L	I	R	A	W

GARAGE SALES
Puzzle # 4

B	U	M	F	C	Y	D	E	G	A	M	E		
A	C	F		R	A	N	O	V	T	E	K	R	A	M
R	L	O	R		E	N	N	L	I		K	N	I	P
N	U	M	N	E		C	N	E	D	R		P	H	
S	L	U		S	S	N	E	I	P	R	D		R	
O	L	T		I	T	A	S	B	H	U		O		
F		T	I	H	A	G	E	M	S	A	C	M	M	
T		E	T	H	I	N	N	R	W	I	L	T	O	
	R				M	R	O	O	I	A				
G	N	I	K	R	A	P		E	I	T	N	Z	C	
N	O	I	S	N	E	P	S	U	S	N	T		E	
R	E	K	L	A	W	R	O	O	L	F	T	O		
T	U	R	N	T	A	B	L	E			R			
												Y		

INTERNET
Puzzle # 5

E	X	T	E	K	S	A	B			C	C	L	T
R	L	U	C	R			U		O	Y	I	I	
D	E	G	N	R	E	G		M		N	B	N	M
T	N	L	O	I	O	T	N		P	V	E	K	E
	O	A	L	O	L	W	A	I		E	R		O
		B	L	E	G	E	D	H	M		R	S		U
			W	R	S	E	L	S		A	G	E		T
			O	E	K	R	B	O		E	X		
L	F	T	O	R	N	B	O	A	A	U	D	R	
N	E	W	B	I	E	K	Y	O	W	E	R		T
T	R	O	P	A	T	A	D	C	B	Y	R	C		S
R	E	M	M	O	C	T	O	D		P	A	E	
M	A	L	V	E	R	T	I	S	I	N	G	S	H
M	R	O	F	T	A	L	P				S		
P	U	B	L	I	C	A	T	I	O	N			

SWIMMING
Puzzle # 6

C	D	I	D	O	P	E	P	O	C	F	P		G
R	H	C	E	T	N	M	K			I	L		A
H	E	E	Y	U	E	I	A	C		S	U	O		L
A	D	L	M	P	R	N	O	R	I	H	N	V	C	A
U		E	P	O	H	Y	N	J	C	K	G	E	S	K
R		R	U	T	O	P	A			E	L	T	T
I			A	O	A	N	T	G			I	R	R
E			O	C	X	A	E			G	O	A
N	A	I	D	I	R	E	M	I	U	R		E	B	N
T	E	T	A	L	I	B	U	J	S	T	I	R	I	A
G	L	A	U	C	O	T	H	O	E		E	D	L	T
L	A	N	O	I	T	A	T	A	N		S	A	I
E	D	I	S	L	O	O	P					O
R	E	S	P	E	C	T	I	V	E	L	Y		N
E	R	O	H	P	O	N	O	H	P	I	S		

SLOW DOWN
Puzzle # 7

B	E	R	A	T	T	L	E	T	C	E	R	R	O	C
C	Y	O	E	U	G	O	R	D	O	R				K
F	R	R	P	C			U		A		E
I	A	O	C	M	I		C		L		W		E
N		C	C	N	E	G		H		L		L	P
T	I		E	K	W	T	R	E	D	L	U	O	M	Y
O		A		D	P	O	N	A		N	R	O	C	S
N			R		O	O	D	W	H		V	T	W
E	T	N	U	T	S	W	T		O	T		E	O	R
H	C	N	I	U	Q	S	N		D	E	R	D	I
G	R	A	V	I	G	R	A	D	E		L	D	T
S	T	R	A	T	H	S	P	E	Y		O	L	E
U	P	S	Y	T	U	R	V	Y		O	E
N	E	L	L	A	F	D	N	I	W		K

SOLDIER
Puzzle # 8

A	N	C	H	E	T	N	I	K	O	U	T	R	A	M
K	W	E	G	L	O	U	C	E	S	T	E	R	P	B
Y	I	O	L	Y	Y	C	A	P	I	T	A	N	O	L
D	R	L	L	L	T	A	I	Z	A	H	G		L	U
I		A	R	E	A	N	U	T				L	E
S	T		I	O	T		U	T	E			I
B		S	K	L	Y	T		O	E			O
A			A	C	I	K	E		B	Y
N				T	A	X	N	L	E	V	Z	O	N	E
D				L	S	U	A	U
					E	R	A	P	A
T	N	E	M	Y	O	L	P	E	D	S	P
N	A	M	S	D	R	A	U	G	V		A	E
S	E	R	V	I	T	O	R			A		C
	R	E	T	O	O	H	S	P	R	A	H	S	K

CHAMPION
Puzzle # 9

I	E	T	N	A	Y	R	B	F	I	S	C	H	E	R
H	N	N	F	I	T	T	I	P	A	L	D	I	S	P
Y	E	I	I	R				E	C	N	A		H	U
Y	D	N	T	H	E			R	Q	A		V	E	N
C	E	E	D	S	K	K		R	U	V			E	Y
C	I	N	N	R	O	E	S	Y	I	R			N	R
R	R	T	N	N	Y	G	L	A	T	A			E	
N	E	O	E	U	E		A	A	L	T	F	L	O	W
	A	D	W	L	T	K		G	N	I	R	A	E	B
		M	A	N	H	K			L					
		E	S		T	N			O					
		R	U		A	I			V					
G	H	A	Z	I	O	R			G	A				
G	E	N	I	U	S	F	C			H				
			P	R	O	C	L	A	M	A	T	I	O	N

SCHOOL
Puzzle # 10

E	R	A	C	R	E	T	F	A	W	M				
B	L	A	Z	E	R	K	S	C	H	O	R			
G	R	A	M	M	A	R	O	N	O	S	L	O		H
R	R	S	Y	O	A	D	E	R	O	N	O	L	F	O
E	S	O	C	R	O	T	N	L	B	M	V	R	A	S
C	I	O	U	H	E	R	R	O	B		M	E	F	P
E	C	S	P	N	O	L	E	I	C	A		O	N	I
P	K	T		H	D	O	O	M	C	E	T		C	T
T	B	U			O	S	L	O	O	U	S	S		A
I	A	D			M		A	H	H	L			L	
O	Y	Y				O		B	C		A			
N	T	N	E	D	U	T	S	R		L	S		T	
T	R	U	A	N	C	Y			E		E			E
U	N	S	E	C	T	A	R	I	A	N				
V	A	R	S	I	T	Y								

URBAN FARMING
Puzzle # 11

H	N	O	T	L	A	H	S	R	A	C	D	D	I	
	S	N	P		A	N	C			E	A	N		
		I	A	O		N	I	T			L	R	S	
		M	B	O		D	A	U			M	K	U	
		E	G	A	R	R	A	B	R	D	A	T	L	
H	O	R	N	C	H	U	R	C	H	D	S	O	T	
J	E	R	S	E	Y	A	R	E	L	O		W		
	M				E	L	E	C	O	O	N			
		I				A	E	T	U	O	D			
			L	A	R	U	R		N	D	T			
A	I	P	O	T	B	U	S			I	O			
G	N	I	D	L	O	H	L	L	A	M	S		R	
E	P	A	C	S	N	A	B	R	U				P	
R	O	T	C	E	V	M	S	I	G	A	L	L	I	V

STRING ART
Puzzle # 12

A	N	I	L	O	I	V	A	S	T	R	A	G	A	L
Y	C	W	N	Y	C	O	R	D		E	H		D	
E	D	O	O	O	R	T			Y	S	A		I	
S	R	E	N	D	I	E	I			E	C		S	
	I	O	M	F	K	T	K	E		L	R		S	P
		L	T	O	I	A	A	O	D	E	A		E	
			L	I	C	T	E	R	O	T	P		M	
				I	C		U	R	U	C	E		B	
				H	F	A	T	R	B	J		L		
E	L	O	C	U	T	I	O	N	E		N		A	
	S	Y	N	T	A	G	M		I	T		O	N	
		M	E	C	H	A	N	I	C	O	Y		C	
P	H	A	R	M	A	C	Y	E			P	I	E	
T	S	I	L	A	E	R			L			N		
Y	R	T	E	M	O	H	T	R	O				G	

232

WINE MAKING
Puzzle # 13

```
Z T I W O L R A C B G H B N P
L T S P R I C K H O U O R E O
    O U U             A U E L E L T
      H R O         M Q S O A L T
        O B I       B U S G K Y E
          C   M     E E W R T P R
H G U O R L P E R T O A H R Y
W I N K L E A R T     R P R I S
G N I D N I L B I S K H O N I
Y G O L O R O H N M B Y U T L
E T A R C E S N O C E A G L E
E L D E R B E R R Y     U H E N
F E C U N D A T I V E     R S T
P E R F U M E R Y         S L
P E T I T I O N A R Y         Y
```

WIND SURFING
Puzzle # 14

```
G H L E N N A H C         H
C N T N A         H       O
F O I A A S D R I F T W I N D
G R N T E I T     L M   L K Q S
G N O T I R L E L A     I E U O
E Y I N R B B O R R     N C A U
S R M N T A     W E L   G K R T
Y C O K R S R     I I Y   L T H
W D U H H E I Y     N       E E W
E     O D S A V D     E D     R E
A     O     F N O E       Y     S
T         W     F A G           T
H             T A O B L I A S   E
E L B A F R U S               R
R Y L R E H T A E W
```

BOXING
Puzzle # 15

```
D G N I R A E B L A C K O U T
C E C H A L L E N G E R
R O D R E T N U O C F A C E R
Y E N N F I S T I A N A   S K
E C N C A O R E K A M Y A H I
    S N R U H U L E A D R   A C
      R A O S E L       E   D K
        U F C S R T     A   O B
      D N E P U   I A O   C   W O
R E T O M O R P O B U H   B X
P U G I L A N T   N   R   O I
R E K A M H C T A M     N X N
E C E I P H T U O M       E G
Y R A N I M I L E R P       Y
D E I F I N U
```

SHEEP
Puzzle # 16

```
A D L O W S T O C L O N K B B
F N T E       S E N I V O L U
R E G F R N O T U O M     O R
I O N L E U R     B K   S W R
K N W O E H N U       C H N H
A S I L B B J A C K E R O O E
N H   D I E E   M K     U T L
D E     D N L R S T E L L   S
E E       O G K R       D
R P         R   C Y     E
    B W O O L E D   U     R
    I G O D P E E H S N
    T S K I R T I N G S K
    E S T U D M A S T E R
G N I L R A E Y
```

TRAIN
Puzzle # 17

```
T L A N I M G A T H G I L A
C N R A C X O B H E L I F A C
U O E N W O D K A E R B . S S
R D A D E G R A H C S I D E O
L K I L I . . E G U A G . A C
E L R S E C . M D O N T O T I
F G U A C R C M A N A G E R A
. R N P B I . A R Y E . . . L
. . U A . M P . R A O F . . I
. . S R . E L . E T R . . Z
. . . . . S E . T T A . . E
. L E I P S G E I R K R L L
K C A R T E D I S D . . A E
. . . . . . . . . . . . . C
. . . . . . . . . . . . . K
```

STUDENT
Puzzle # 18

```
T E T A R E L E C C A D R I P
A S D N E T T A . S E U N R
R S I R T Y H E L L S P N D O
A E S N E S A . E U O I B
N M H I I G I S . M T L G A
R R M C G T E C S . B I O N T
. O E A N N N L I E L Z G A I
. J V G E M A L T Y E I T O
. A O . B E Z O O . S I N
. . M G . K N Y C M T O E
R E F E R . . C T B . E N R
T S I G O L O H T A P . D
M U C I T C A R P . B
Y H P A R G O N H T E
M E D I E V A L I S T
```

FUNNY
Puzzle # 19

```
L F O R S T R E I S A N D C H
D R A C I A R C D R Y L Y H I
Y L F T I E C R A F . S P E L
P L A U S M D E . . P L E A
. A E C N I A E P . O E R R
. . T M I N R N C I . O A Y I
. . . T E C I O Y E R F S . O
. . . E R R M M D R . U . U
Y L L A S R T A E U . P R S
R I S I B L E X F N H . A
C I R E T S Y H E . T . B
Y S A R C N Y S O I D I L
R O L L I C K I N G . . E
Y P P A N S T H E A T E R
```

BASEBALL
Puzzle # 20

```
M C C A R T H Y R Y A N
X O B D N A B D A E D T S U D
C R F H R K T O . W . P L A Y
. O O O I A I O L . A . E
. M R R T G C H O . E A
. . P R K T N K S S . D
P U L L E E B E A B . . O A
Y T F E L T S A R T A . F . F
S E I R E S E P L . I L F
R E D N U O R N E L . O L
E K O M S . . C A . N
L A E T S . . Y K . A
W I N D U P . . . E . L
. . . . . . . . . . R
```

CHINA
Puzzle # 21

A	G	U	D	G	N	E	H	C	J	N	L		
K	N	N	O	C	I	T	I	N	I	S	A		
D	C	T	I	T				A		N	N		
E	O	U	U	D	O			O		C		I	
	N	U	M	N	O	A		Z		H	G		J
	I	C	L	G	A	B	T	H		O	O		Z
		F		A	S	B		O		W	L		H
Q	U	N	G	U	R	K	U	N	U	N		D	A
U	J	I	U	N	I	S		N	A		K	F	N
C	E	L	E	S	T	I	A	L	G	L		I	G
T	A	K	L	I	M	A	K	A	N	K	U	S	N	Z
O	L	I	E	W	G				I	I	H		H
H	A	W	T	H	O	R	N			K	A	C	O
M	A	N	D	A	R	I	N	A	T	E		K	N	U
W	E	I	G	E	L	A					O	G	

DANCING
Puzzle # 22

G	N	I	Y	A	M	S	U	E	G	N	A	H	C	R
K	C	H	O	R	U	S	C	A	H	E	G			A
C	E	H	A	E	N	T	I	I	B	T	S	N		V
	L	I	O	I	T	O	C	H	B	M	I	T	I	E
		U	S	R	N	S	I	A	S	O	I	L	I	R
			B	U	O	A	A	S	R	M	R	R	B	C
				B	M	G	M	T	A	E	E	E	E	
M	A	R	A	B	I	E	R	O	S	V	T	Y	A	B
F	L	E	A	D	H	N	R	A	C	I	E	N	O	
					G	E	P	S	D		I	K		
N	O	I	S	U	F	F	E	A	O	H	I			
E	U	G	N	E	R	E	M		B	B	Y	D		
S	I	S	E	H	C	R	O			M				
Q	U	A	D	R	I	L	L	E			U			
X	I	F	S	N	A	R	T				R			

SPORT
Puzzle # 23

A	A	H			B			C	F	F		S
D	D	T	G	J	R	E	G	A	R	I	I	O	K
P	E	V	O	U	E		S	O	S	S	U	I	Y
E	A	V	E	M	A	S		H	S	H	H	N	L
	M	R	O	R	K	L	T	O	S	E	E	H	A
	I	K	T	S		R	T	R	R	I		R
		T		E	A		T	R	M	W	T	K
F	O	L	L	O	W	E	R		A	A	O	T
F	F	O	Y	A	L		Y	I	N	M	A
E	R	E	F	R	E	T	N	I		A	B
O	P	E	N	I	N	G		E		N	L
		G	N	I	L	B	M	A	R	C	S	E
G	Y	M	N	A	S	T	I	C	S			
E	V	I	T	R	O	P	S	R	E	F	R	U	S
N	A	I	C	I	N	H	C	E	T			

POTATO
Puzzle # 24

X	A		T	C	S	U	O	U	D	R	A			
B	I	M		L	H	N	T	A	H	C		L		I
C	L	R	I		A	I	E	D	A	S	H	E	E	N
D	R	U	T	T	W	H	P	E	T		F		O
O	E	O	E	I	S	O	P	P	T	O		S		S
S		V	Q	N	P	E	R	S	E	N	O	E	I
A		L	I	U	O	E		F	A	R	A	R	T
		A		T	E	S		A			C	E
		R	P		C	T	E	I	R	O	H	C	A	K
K	I	D	N	E	Y	A	T	N	A	T	U	R	A	L
		E			E		N	E		S
		R			L		I		E
R	E	G	I	M	E	N	I			L
S	E	E	D	B	A	L	L	N		O
					G				

PHOTO EDITING
Puzzle # 25

```
S A E M A S C U L A T E F M V
H P G N I V A R G N E   E A I
A O T M K C A B Y A P   L G O
R C P E S P P R A B B I F A L
P O S H R I H I       I Z E
  P   H O R L O C     E I N
  E     O T E A T T     N C
      P O F N O O     I E
P H O T O B O M B R T R   N
D A E R F O O R P   U Y I G
P H O T O G R A V E R O P A
R E T E M I R A L O P   J E L
G N I T I D E T S O P
T R I M M E R T R O P H Y
T U C R E D N U T I L I T Y
```

STOP DEPRESSION
Puzzle # 26

```
B W E L G N A B T H S A R C D
U R O C C S E S U E F U L L I
R D E T A O S C T T N     R
Y F I A S M U E T A T R   E
  O L S T E E N N A Y   O C
  R   L P H Z R T K R   C T
  E   E I I I O E R Y
  D     W R N L S R A
  E S T A T E I G I T   D
  E A L U N U L T S B O
  P S T I L L   E T O M
            D E M E
G E O S Y N C L I N A L A M
H Y P O C H O N D R I A   D I
R E C L I N A T I O N
```

LITERATURE
Puzzle # 27

```
A S Y A B O L D   H F L U B
F L I D T   E L B A E K I L
R I E T D A     U M O T I F
O   A I Y O B   P     P P
F   W X L H A   T     A E
U     A E S W M     T R
T S U N I G N O L A   R S
U R E G N I S D   N K   I O
R K E N N I N G R N   C N
I   E C N E R E H O C I I
S B I O G R A P H Y   D F
M C A C H I N N A T E   E Y
M S I R E N N A M E N A H T
N O I T C I F A T E M
M I L I T A T E S A T I S F Y
```

COFFEE
Puzzle # 28

```
Y N O N A C B L O E F F A C
C R G U L P O I M E C A
H H A     M   P A T N C
E   I E     B   E M A A E
A     C L   I     C O P H D
T       O B N P M U L A T S C
E       E T A L U G A O C Y W
R E T S A T T R E P O R P M I
  C O F F E E P O T     L   T
J O S T L E   S A M O V A R G
N O I L L U G M U L S   N   A
S O C I A L I Z E     T   T
E L T T E K A E T     I
A I L I G R I V     N
                  G
```

236

MONDAY
Puzzle # 29

E	H	O	C	K	D	A	Y		M				B	
A	E	D	I	T	K	C	O	H	Y	O			L	
S	S	A	M	Y	R	A	M	O	N	A	N	D	A	Y
T	E	C	E	E	T	C	I	D	E	C	D	D	H	
E	L	D	A	C	S	T	E	E	M	R		N	A	
R		E	I	U	N	O			O	P	L	U	Y	
		E	T	S	A	L		W		E		S		
E	N	I	N	W	E	E	T	C		B		F	R	
		A	V	R	S		A		T		K			
T	O	R	P	O	R	Y	O	I	M	R		O		
E	L	U	D	E	H	C	S	R	E	U		V		
E	V	I	S	U	L	C	N	I	H		C	E		
E	R	U	G	I	F	E	R	P		S		R		
E	D	I	T	N	U	S	T	I	H	W		S	I	
K	E	E	W	K	R	O	W						C	

PACIFIC
Puzzle # 30

E	L	I	H	C	O	R	R	S	N			K		
N	I	M	I	T	Z	D	O	E	U	A		W	T	
	K	A	N	A	K	A	A	D	S	V	P	A	S	
O	T	A	C	S	M		R	A	A	A	I	J	I	
E	N	D	E	R	B	U	R	Y	O	U	R	A	M	
O	A	I	W	H	E	A	T	B		L	C	F	L	S
B	I	I	C		R	E	R	O	B	C	O	E	E	H
E		H	A	O			N	R	A	F	C	I	I	
A		S	G	D		I		P	L		N	A		
R		O	N	N		T		E	A			N		
B		R	A	E	O		L	G						
E		U	M	M		I	T							
R		K		N	A									
R	H	S	I	F	N	W	O	L	C		I			
Y	C	O	C	K	A	T	O	O		L				

PUBLIC
Puzzle # 31

A	N	C	E	D	E	L	A	T	E			T	S
U	C	I	H	G	I	D	I	S	I	N	T	E	R	T
C	E	C	A	E	A	L	P	A			A	R
T	E	Y	E	L	S	T	I	A	Z		N	A
I	G	T	E	S	R	T	T	G	N	A	S	P
O	L	U	A	S	S	E	D	O	E	T	L	P	H
N	R	I	B	R	O	C	B	E	C	N	P	A	A
	O	T	R	U	R	I	M	R	C	R	N
	T	U	E	G	E	R	A	I	E	E	G
	U	R	T	U	Y	H	T	N	E
	T	G	T	A	G	C	E	T	R
G	N	I	K	E	P	S	I	I	N	E	R
T	R	I	U	M	V	I	R	C	L	I	N
C	I	L	B	U	P	N	O	N	A	A
U	N	E	X	P	O	S	E	D	L	P

DOLL HOUSE
Puzzle # 32

H	R	I	O	T	T	A	B	A	E	B			E
U	E	Y	E			O	A		U	O		N
A	H	L	R	R		T		B		N	W	T
C		C	U	E	I		T		E	L	E	E	E
		G	T	C	N	F	L	R	E	Y	O	F	V	R
		A	U	I	A	E	J		R		A
	H		S	H	D	E	G	O	O	D	M	A	N
A	I	C	N	A	T	S	E	D	E	S	I	M	E	R
M			R	A	N	E	S	T	L	E
S		H	O	U	S	E	B	O	A	T
E		P
L	D	N	U	O	B	E	S	U	O	H
F		B
M	A	N	S	I	O	N	E	T	T	E
R	O	U	N	D	H	O	U	S	E

PUZZLE
Puzzle # 33

RAIN
Puzzle # 34

SLEEPING
Puzzle # 35

EXERCISE
Puzzle # 36

CONCERT
Puzzle # 37

R	M	U	I	R	O	T	I	D	U	A	L	O	G	E
C	E	O	E	G	C	P	R	O	M			D	L	P
H	C	T	L	T	N	O						E		I
A	O	R	H	A	N	I	N	P			V		A	B
N	N	K	O	C	B	A	T	F	A		I		N	
T	C		N	W	I	M	T	R	L	G	S		O	
E	E			A	D	R	I	R	E	A	E			
U	R			H	S		C	E	C	T	A			
S	T	M			T	U			C	N	I	N		
E	M	J	U	M	B	O	T	R	O	N	N	O	O	T
	E		I	E			F			O	C	N		
	N		M	U			I			C				
	T	S	I	G	R	E	N	Y	S		N			
N	O	I	S	S	I	M	R	E	T	N	I	G		
N	O	R	D	A	U	Q	S	P	V					

MUSIC
Puzzle # 38

K	A	Z	U	M	A	C	C	O	R	D	S	O	N	G
G	C	O	U	P	L	I	N	G				S		
R	C	D	I	V	I	S	I	F	L	I	L	T	A	
O	O	S	T	E	T	T	U	T	O	D				B
U	M	G	U	S	D	E	O	D	R	R	N			
P	P	I	N	O	I	O	T	N	O	I	L	A		
	A		S	A	N	L	M	X	I	N	L	A	W	
	N		S	D	O	A		E	C		L	N		
	Y			I	N	H	R		S	I			A	
				T	A	P	U				T			
A	C	C	A	L	O	P	R	F	O	S		Y		
S	S	E	L	E	N	U	T	O		M	N			
E	T	A	P	O	C	N	Y	S	F		O	E		
T	S	I	M	M	A	R	G	O	R	P		H	M	
D	N	U	O	R	G	R	E	D	N	U				

CLEANING SUPPLIES
Puzzle # 39

A	C	X	L		Y		C	S	D					G
E	M	I	A	L		R	L	E	U	I				A
X		M	S	R	U		E		X	O	A			R
H			U	A	O	F	A	C		C	I	M		G
A			N	B	B	N		O		I	P			L
U	H			I		E			R			T	O	E
S		O			T	R			G				O	C
T			U		G	N	I	S	N	A	E	L	C	R
G	N	I	S	S	O	L	F	O	H	E	A	D	E	R
			D	E	E	F	N	I	N					
		A	T	N	E	M	I	D	E	P	M	I		
R	E	U	S	S	I		A	K	I	P	P	E	R	
Y	R	E	L	L	U	C	S	N	E	K	I	R	T	S
M	I	L	L	W	H	E	E	L						
R	E	N	O	I	T	C	E	F	E	R				

SUMMER
Puzzle # 40

S	H	I	M	L	A	E	L	C	A	B	E	D		P
E	C	R	E	M	M	U	S	T	S	A	E	R	B	E
F	E	I	E	N	J	L	I	N	N	E	T		T	R
Y	U	L	P	L	I	U	E	M	H	T	Y	H	R	F
L	F	R	U	M	B	M	I	N				E	U	
	O	I	N	O	Y	A	R	C	G				L	M
		S	D	A	C	L	R	E	Y	T			L	E
			I	O	C	T	A	E	T		H		I	
				L	M	E	E	R	F	N		E	S	S
C	I	N	U	T	L			L	A	F	I		N	U
E	K	A	L	F	W	O	N	S	O	P	U	W		N
S	O	M	M	E	R		M			I		S		S
T	O	O	R	Y	T	T	U	P		V			N	U
H	S	A	U	Q	S									I
E	Z	I	R	E	M	M	U	S						T

WINE
Puzzle # 41

I	T	S	A	C	B	U	R	G	U	N	D	Y	M	R
A	R	I	E	D	A	M	Y	E	L	P	P	A	O	E
D	U	M	A	Y		R	T	Y	K	R	O	C	S	D
	L				H		E	E	A				E	D
	E			N	T		G	N	P				L	I
O	V	I	T	I	M	I	R	P	R	R	A		L	N
		U	E	R	V	O	O	E	E	T	E	G		
D	R	A	F	T	E	S	E	E	W	T	B	B		
N					B	T	I	D	E	A		A		
	A					S	A	C	R	G	B			C
		M					K	M	A	A	A	L		
R	E	C	O	R	K				C	I	L	G		E
				U					O	N	G			
	A	I	N	A	M	O	N	E	O		B	E		
						G					T			

ESTATE PLANNING
Puzzle # 42

G	S	R	T	T	S	D	N	I	F		B	G	G	
Y	N	S	E	S	A	U	O				L	L	R	
E	F	I	E	V	E	E	P	W			O	O	O	
E	C	I	S	S	A	U	H	R	E		C	B	U	
	V	R	N	I	S	H	Q	C	O	R	K	A	N	
	I	O	M	T	A	C	E		C	B	L	D		
		G	F	A	R		R	B		U	I	S		
E	L	D	D	U	M	D	E	R	A		S	S	M	
F	A	Z	E	N	D	A		V	O	M	T	T	A	
B	U	D	G	E	T	I	N	G	D	N	E		N	
A	L	L	I	Z	E	D	I	R	B	A	R			
D	E	S	I	G	N	A	T	I	O	N		E		
D	L	O	H	E	S	A	E	L				P		
P	R	E	M	I	S	E	I	G	N	I	O	R	Y	
R	E	V	E	S										

FRUIT
Puzzle # 43

B	C	A	S	S	A	T	A	C	G	N	O	L	A	K
D	E	S	L			A	I	R	G	N	A	S		
G	R	A	S	U	E	N	I	T	N	E	M	E	L	C
O	Y	A	R	E	F		R	M	T	C				
U	R	R	G	I	R	T	S	I		A	R	U		
R		C	R	E	P	E	I	C		M	U	A		
D			H	E	E	E	T	U	R		M	S	S	
N	I	K	S	A	B	H	S	I	R	U	O	S	E	S
			R	E	U		U	F	M				E	
M	U	T	P	E	S	D	N	T		R	N	P		
						I	U	R		F	U			
						N	J	I						
						G		C						
P	H	Y	S	O	C	A	R	P	O	U	S	L		
R	A	L	U	S	P	A	C	B	U	S			E	

ARMY TRAINING
Puzzle # 44

C	A	E	S	I	C	R	E	X	O	B	C	C	C	I
O	O	H	D	R	A	C	P	L	E	H	A	E	R	N
N		M	K	R	E	L	C			M	R	E	T	
Q		M	R	Y					P	T	A	E		
U		D	I	U	N				A	I	N	R		
E			I	S	G	O			I	F	C	N		
R	T	O	P	E	S	S	A	H	C		G	I	E	S
O	K	A		K	M	C	A	T	P		N	E		H
R		N	L		N	B	I	R	S	O		D		I
		A	A		A	A	P	E	O	H			P	
			L	H		L	T	L	N	P	T			
				F	S		F	T	I	I	T	R		
G	N	I	D	N	U	O	R	G	T	L	N	A	U	O
P	A	N	Z	E	R			A		U	E	E	R	O
C	I	N	O	T	A	R	T	S	M		O			T

GARDEN
Puzzle # 45

H	A	D	J	A	C	E	N	T		R	C	U	L	L
E	T	A	U	R	I	C	U	L	A	R	E		G	
F		I	T	E	N	R	U	B			R	W	R	
F			M	F	O	R	K			U	L	O		
E	R	A	W	S	M	A	J	O	L	I	C	A	U	B
C	S	E	D	I	R	E	P	S	E	H	A	N	N	S
T	L	E	R	O	M	W	A	L	K	S	T	D	D	P
E	O	V	E	R	G	R	O	W	N	P	A	S	S	I
D	E	L	Y	T	S	I	R	E	P	R	B	C	M	R
T				O					I	L	A	A	E	
	E	M	Y	H	T	I			N	E	P	N	A	
	K				R			K		I				
	D	E	C	A	R	R	E	T		L		N		
		O					E		G					
		R					R							

PIANO LESSONS
Puzzle # 46

S	A	L	L	E	G	O	R	Y	C	O	M	P		
C	C	P	A	E	S	U	O	H	L	E	R	R	A	B
H	C	B	O	C	H	I	R	O	P	L	A	S	T	T
U	O	E	O	S	I	F	I	L	M	P				E
M	M	N	L	L	T	R	F	R	A	M	E	D		M
A	P		A	A	S	L	O				R			P
N	A		I	P	T	E	T				P	E		
N	N			P	S	E	S	S	E	C	E	R	R	
	I				E	R		I						
	S		L	A	M	E	L	L	O	P	H	O	N	E
	T	M	E	L	O	G	R	A	P	H		A		
L	A	D	E	P	R	E	V	O	D	N	O	C	E	S
T	C	E	T	O	R	P	R	E	V	O				
E	N	O	T	I	M	E	S	Y	L	L	A	B	U	S
E	L	B	A	T	E	M	I	T						

MOTOCYCLE RACING
Puzzle # 47

B	Y	T	I	L	I	G	A	F	M	T	F	A	R	D
E	A	N	T	I	R	A	C	E	R	O		F		
E	V	E	N	T	G	M	C	I	O	U	R	L		
M			I	O	O	E	I	P	V	T	A			
E	Q	U	A	D	F	R	I	D	D	P	A	T	C	
R				F	T	N	I	R	I	L			Y	
				I		G	T	O	H				R	
L	A	N	G	L	A	U	F	R			A	N		O
M	A	V	E	R	I	C	K		G			T		A
E	N	A	H	T	E	M	O	R	T	I	N		E	D
O	U	T	R	I	D	E	R							S
D	A	E	H	L	O	R	T	E	P					T
S	P	E	E	D	W	A	Y							E
E	L	C	Y	C	I	R	T							R

FLOWER
Puzzle # 48

A	A	A	P	E	T	A	L	O	U	S	T	E	M	
B	C	B	N	R	E	T	S	A				I	H	
N	E	R	L	T	Y	C	E	C	Y	A	N	I	N	E
O	O	L	O	A	H	T	A	N			D	L		
P	R	I	A	C	U	O	S	L	R		U	I		
E		G	T	M	L	T	L	A	I	U		S	A	
N			E	A	O	I	E	Y	N	L	B	I	N	
			A	N	U	N	P	S	I		U	T		
U	M	B	E	L	T	R	R	I	R	I	P	P	M	H
P	A	N	I	C	L	E	A		U	E	S	E	U	
S	N	O	W	D	R	O	P	C		M	P	L	S	
I	M	M	O	R	T	E	L	L	E		O			
N	E	R	V	E	R	O	O	T		R				
D	A	E	H	E	K	A	N	S		I				
T	A	R	W	E	E	D			C					

LEARN ENGLISH
Puzzle # 49

N	B	R			K		C	G			A	C	P
L	A	A	E	D	G	E	W	O	R	T	H	S	L	U
S	A	C	I	W		E		N	A	E		T	O	S
E	R	N	I	L	O	P		G	P		K	R	B	H
C	V	E	G	L	E	G		R	H	Y		A		C
E	A	I	G	L	G	Y		E	O		A	L	B	A
T	X	N	S	O	A	N		V	L		E	R		R
K	C	H	K	N	R	N	A	E	O			M	G	
	I	N	I	E	E	E	D		G	O	A	V	E	S
		D	I	B	R	H	F		Y					R
			D	T	I	W	E	F	S	W	E	E	T	
				L	S	T	E	R	O					
				E	N		E	P						
N	R	A	E	L	N	U	I		D	P				
T	R	A	C	T	A	B	L	E			A			

SEA
Puzzle # 50

B	A	F	L	O	A	T	B	E	R	T	H		C	K
L	C	T	A	Q	U	A	M	A	R	I	N	E	O	A
A	T	U	L	D	E	S	A	L	T	R			R	N
C	I	H	T	A		S	D	E	L	I	A	S	O	A
K	O		A	T	M	S	L	L	S			G	N	K
P	N			A	L		E	I	I	T			A	A
O				K	E		A	R	W	U			L	S
O	C	I	T	O	H	P	F		W	G		O		
L				M	A	R	I	C	O	L	O	U	S	
T	R	O	W	K	L	I	M	Y	S		R			
A	I	H	C	A	M	U	A	N	T	H		T		
S	E	A	W	A	N	D				I			H	
S	M	O	O	T	H					N				Y
S	P	I	N	D	R	I	F	T				A		

FOOD
Puzzle # 51

F	I	S	H	E	S	B	R	E	A	K	F	A	S	T
C	E		S	O	C	F	R	I	Z	Z	L	E	R	S
U	H	G	G	E	C	I	E	O			T		I	H
T	O		R	R	L	U	O	V	I		I		S	R
L	R		T	O	O	D	S	H	I	L	N		O	I
E	S			N	G	U	O	S	C	L	N		T	M
T	E	L			E	S	N	O	T		E		T	P
	M	D	O			M	I	D	F	A	D		O	
	E		N	B	E	Z	I	D	N	A	M	R	O	G
	A			U	S		R		U		P			
	T				O	T			T		T			
S	Q	U	I	D		R	E	G	R	U	L	P	S	
T	A	N	D	O	O	R	I	R			N			
S	U	O	G	A	H	P	O	N	O	M				
U	N	W	H	O	L	E	S	O	M	E				

E SPORT
Puzzle # 52

M	A	R	N	H	E	M	K	K	O	Q	R	V	D	H
E	A	N	E				I	O	M	U	A	I	I	O
	I	D	A	D			N	S	A	I	N	L	N	O
S	R	D	R	D	R		S	I	H	L	D	L	K	P
	P	E	R	E	Y	A	T	C	A	M	O	E	O	W
A		A	U	I	T	R	O	E		E	L	U	F	H
	D		M	G	B	S	N	B		S	P	R	F	A
		N			A		M			H	B	I	L	
	E	N	I	T	S	E	L	A	P			A	C	E
I	N	T	E	R	V	A	L					N	I	R
K		S	E	P	A	R	A	T	E			N	A	
	C			G		M						E	L	
	I			D		A	N	O	T	O	L	E	P	
		T			I		S							
			S			M								

WINTER
Puzzle # 53

D	S	A	R	A	S	O	T	A		N		
A	O	A	W	I	N	E	S	A	P	H	C	R
D	D	N	M	K	C	A	B	K	C	A	L	B	U
E	F	A	G	H	D	O	L	O	R	R	I		B
E	O	M	P	T	A	Z			D	M		S
R	O		I	T	I	I	O		Y	A		T	A
Y	L	K		C	A	N	N			T		A	V
A	F		C		R	B	G		E		I		R	A
R	I	E		E		O	L				C		A	G
D	S		C	O	N	I	F	E	R	O	U	S	N	E
	H			U		K	D	E	F	R	O	S	T	L
			D		O						A	Y
D	R	I	B	D	E	E	R	O				S
Y	R	A	G	A	V		R		R			S
E	C	N	E	C	S	E	I	U	Q	C

QUIT SMOKING
Puzzle # 54

A	T	T	R	I	T	E	Y	C	C	A	B	F	N	N
E	C	W	E	S	D	I	R			L	O	A	A
	N	R	A	K	I	E	B	A		O	R	R	R
	O	A	R	A	S	R	I	W		A	E	G	G
R		C	C	D	S	O	E	H	A	T	G	H	I
P	E	E	K	T	K	A	R	N	D	O		O	I	L
	L		I		H	O	P	W	R		L	E
	L		U		S	F	Y	O	P	E	H
P	O	T	S	O		Q		I		H	P
	R	V		H
D	E	T	S	E	V	M	A		S
	T	E	N	A	C	I	T	Y
T	O	B	A	C	C	O	Y	E	A
T	N	A	N	E	T	N	U		T	T
	S	E

TABLE TENNIS
Puzzle # 55

F	A	F	G	H	A	N	I	B	M	I	L	C
C	E	F	O	O	T		A		D
G	E	D		H		D		A	P	I	L
R	L	N	E			G	M		K	R	O	N	E
A	E	M	T	R	R	E	T	I	L	I	C	E	D	K
S	A	I	E	I	E		N	E	C	U	A	S
S	F		N	T	M	R	E	T	I	S	O	P	P	O
		N	A	E		O	I	H
P			A	L	S	N	E	G	S
	I		P	W	T		R	G	A
D	R	A	I	L	L	I	M	A	R		I	N	M
	S				R	O		P	I	S
	T	W	E	L	V	E	E	K		M	R
T	E	R	R	I	F	I	C		E		U
	E

DOG
Puzzle # 56

B	L	I	T	Z	N	E	L	B	A	L	L	A	C	D
C	E	N	Y	G	K	A	L	X	K	P		O	O
O	A	A	O	G	A	N	H	O	N	A	I		U	G
G	O	N	R	I	G	I	O	G	I	I	E	L	N	H
S	N	P	K	D	S	O	T	W	F	R	M	P	S	O
G	P	I	A	E	I	S	D		I	A	A		E	L
	N	R	R	K	R	E	U		N		C	L	E
	U	A	E	E		C		G
	R	N	V	E		S
	P	G	I	P		I
	S		U		D
L	U	F	T	H	G	I	R	Q
S	T	A	N	D	I	N	G	S	T	A	R	T	E	R
S	Y	A	W	G	N	I	R	T	S
D	N	U	O	H	E	P	I	R	T

243

UNIVERSE
Puzzle # 57

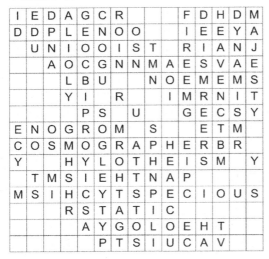

I	E	D	A	G	C	R			F	D	H	D	M
D	D	P	L	E	N	O	O		I	E	E	Y	A
	U	N	I	O	O	I	S	T		R	I	A	N	J
		A	O	C	G	N	N	M	A	E	S	V	A	E
			L	B	U		N	O	E	M	E	M	S
			Y	I		R		I	M	R	N	I	T
				P	S		U		G	E	C	S	Y
E	N	O	G	R	O	M		S			E	T	M
C	O	S	M	O	G	R	A	P	H	E	R	B	R
Y			H	Y	L	O	T	H	E	I	S	M		Y
	T	M	S	I	E	H	T	N	A	P
M	S	I	H	C	Y	T	S	P	E	C	I	O	U	S
		R	S	T	A	T	I	C
			A	Y	G	O	L	O	E	H	T
			P	T	S	I	U	C	A	V

SHIRT
Puzzle # 58

K	M	C	O	A	T	D	E	N	I	B	M	O	C	D
N	R	O	O	D	I	C	K	Y		T				I
T	I	A	S	M	R	A	G	N	A	H	S			S
M	E	A	S	O	P	T	I	F	T	U	O	U		C
O		K	R	E	B	O	K	R	A	S			K	O
D	C		C	T	R		R	L					L
E		A		E	S	A		T	U			S	O
S		T		F	N	B			F		H		R
T	P	L	A	S	T	R	O	N		W	K	I
E	V	E	E	L	S			C		R	R
E	R	U	T	N	E	V	D	A	S	I	M	T	A
S	H	I	R	T	B	A	N	D		N		L		S
S	H	I	R	T	T	A	I	L		K		E
S	W	A	N	N	I	E				L		S
U	N	D	E	R	V	E	S	T		E		S

TRUCK
Puzzle # 59

B	A	K	K	I	E	B	A	T	C	H	D	T
A	L	C	A	M	P	E	R		F			R	H
C	E	I	C	A	R	R	Y	A	L	L		O	A
K	E	D	A	G	E	A	R	B	O	X		T	U	Y
L	E	N	I	T		E	D	A	R	G		L
O	A	F	T	S	B			T	R			E
A	R	D	I	R	P	O	H	O	W	L	O		R
D		E	O	N	U	O	B	R	E	K	N	U	J
		F	M	K	C	R	M	A	L	S		N
S	T	A	K	E	R	K	K	D	T	R	E	A	D	D
			E	E	C	A
R	E	C	N	U	O	R	T	A	G
				N	J	E
				I

GERMANY
Puzzle # 60

A	B	I	N	G	E	N	K	C	N	A	R	F	P
S	I	D	N	A	L	O	G	L	E	H		R	F
I	U	R	M	A	N	S	F	I	E	L	D	I	A
S	Z	I	T	A	K	O	L	H	A	F	F	S	N
O	A	N	S	D	C	R	R			I	D
	L	N	U	U	S	E	I	A		A	B
		I		J	A	T	D	C	E		R
S	P	P	A	N	H	C	S	O	L	U		I
		G			P	A	M		E
R	U	D	E	S	H	E	I	M	E	R	W	F
T	E	U	T	O	N		N	B	A	R	R	I	E	R
R	U	T	K	A	R	F	G	E	R	M	A	N	I	C
S	S	E	M	R	I	K	M	S	I	T	E	I	P
P	U	M	P	E	R	N	I	C	K	E	L
N	E	T	A	R	B	R	E	U	A	S

BRAIN TRAINING
Puzzle # 61

N	B	A	C	K	G	R	O	U	N	D		D	G	H
T	O	M	U	I	H	C	A	R	B			O	R	I
S	S	I	M	R	O	W	N	I	A	R	B	P	E	K
E	R	A	T	C	A	M	A	R	I	L	L	A	E	E
M	Q	E	E	I	D	I	S	A	B	L	E		N	
T	R	U	E	B	S	N	O	I	L	G	N	A	G	
	R	O	I	R		I	P	L	E	H				
		A	F	V	A		U	N	E	M	I	L		
		B	N	A	C		Q	D	R	A	Z	A	M	
			S	I	L			C						
M	E	N	I	N	X		E			A				
		E	T	A	R	O	I	N	U	J				
P	R	A	C	T	I	C	E		C					
E	R	E	H	P	S	I	M	E	H	Y				
Y	R	E	G	R	U	S	O	R	U	E	N			

POLE DANCING
Puzzle # 62

A	N	T	A	R	C	T	I	C	A	D	P	D	T	D
B	M	B	A	L	L	O	B	E	A	C	O	N	R	O
G	A	U	C	A	T	H	O	D	E				O	V
G	A	R	S	E	I	H	T	A	L				B	E
R	H	T	R	E	P	K	C	R	S				O	C
E	E	A	O	I	M	I	C	A	I	L			T	O
	V	G	W	Y	E	E	P	O	E	C	A		I	T
	A	D	A	A	R	N	N	T	R	K	S	C	E	
	S		T	E	Z	H		T	R	S		E		
		W		S	L	I	S			O	N		R	
N	E	G	A	T	I	V	E	A			H	I		
				P				S			L			
			E	U	N	M	A	R	K	E	D			
Y	T	E	I	R	A	V								
V	A	U	D	E	V	I	L	L	E					

ELECTRIC BIKES
Puzzle # 63

A	R	A	L	O	P	I	B	D	N	E			M
E	S	C	E				S	N	O	V			A
M	T	T	I	K			T	O	B	I			T
X	A	A	R	R	U			R	B	R	L	C	
L	O	R	L	A	T	N			A		A	H	
E	I	B	G	L	D	C	N	A	M	E	R	I	W	C
	L	N	E	O	I	D	E	P	O	L	E	V	N	E
		F	E	C	R	R	L	L	E	B	R	O	O	D
			F	M	I	T	B	E	E				
			U	A		C	I		I				
			M	N		E	F		D				
P	O	S	I	T	I	V	E		L	E			
N	O	I	T	A	R	U	T	A	S	E	D		
O	V	E	R	C	U	R	R	E	N	T			
R	A	E	G	H	C	T	I	W	S				

MOON
Puzzle # 64

N	I	D	L	A	M	I	R	G	A		C		H	F
S	O	E	F	I	S				T	A		I	E	
	U	I	C	L	V	T	I	B	R	O	L		G	A
		T	M	A	I	E	R			E	A	H	S	
		A	Y	F	T	B	O			N		S	I	
L	U	N	A	R	D			E	L		D		B	
P	R	I	M	E	T	N	H		O	A	S		L	
R	E	G	N	A	R	S	E	T		H	B		E	
E	T	T	E	N	U	L	O		A		P	E		
			R	O	T	A	R	I	P	S	N	O	C	
M	O	O	N	L	E	S	S	R	R		N			
T	I	L	N	O	O	M			E	I		O		
E	E	G	I	R	E	P			V	C		O		
P	R	O	S	N	E	U	S	I	S		O		M	
T	N	A	T	X	E	S				R				

ORIGINAL
Puzzle # 65

```
O M S E F G       C H H I N
K H Y I D I R     O E A N I
E E C N S I R E   M A C B T
  P E E O Y M S E P D K O I
  P P   R L O T N O W N U N
    A I   C A R   U A E N O
    N N   A N B N R Y D L
E T A B E R G   N A D D E U
  Y T I C I T S A L E D N
Y M O R D O N O M S E R V E P
  A P R O T O L O G     A
  L P R O T O P L A S T   C
  R N O I T C U D E R   K
    A R I G H T E N
  T R I P L I C A T E
```

SCIENCE
Puzzle # 66

```
C S R K M       M H T G N
H R C A C S     E A E E E
  Y S I E I I   T R R O U
    G S T L D C H M A S R
    I   E C   I O O F C O
      O   B   R D N L I L
        L   A   I Y O E O
P H Y S I C O   H C P P N G
G N I T S I L G   P S   M C Y
P E S T O L O G Y   L   E
Y G O L O M S A I M   A
Y G O L O T N E M R E F
O B S T E T R I C S
T S I C I S Y H P R O U T E R
Y H P A R G O T Y H P
```

GRADUATE
Puzzle # 67

```
G T T N O I T A R B I L A C M
M C S S E D I V I D     H A
A L L I I G R A D U A N D E R
T   A E N M D L E     F L
    E R O A E A C       B
    R K B H T U U       U
P A D D E D   R E A R D   R
P R O S P E C T O K U E E   I
N A M O W R E P U S Y D A S A
C O N V O C A T I O N W A T N
G R A D U A T E S H I P   R E
P I H S N R E T N I       G
E T A L U C I R T A M
O R N I T H O L O G Y
P R E R E Q U I S I T E
```

WEDDING PLANNING
Puzzle # 68

```
S D I A N A D L B       D E
L M L E V E N T O L     E N
F A A A T   V W   P A   S G
O N T N C N   E I   E M   T R
R D   S D I E   T   Z E I A
W A     Y A T T S G N O L N V
A P     R P S R R   E   E E
R       C A I E E   S D
D N A M S M O O R G V V   S
E U G I R T N I     O D E
S C I T S I G O L     L A S
O B J E C T I O N       N
E V I T C E J B O         I
T N A I C I F F O
M S I T A T S T R A T E G Y
```

GOLF
Puzzle # 69

B	L	A	C	K	B	A	L	L	T	G	E	R	O	F
F	A	E	X	P	L	O	D	E		O	A			R
R	E	C	G	N	I	F	L	O	G		V	L		I
R	E	S	K	G	O	W	F					I	F	N
H	E	D	C	L	I	N	K	S					D	G
Y	A	P	N	U	F	O	R	E	C	A	D	D	I	E
B	L	Z	P	U	E	T	A	R	E	T	E	V	N	I
R	I	S	A	A	O	E	I	H	S	A	M			
I	K	H		R	C	F	H	C	T	A	R	C	S	
D	E	A	S		D	I	T	E	K	C	O	S		
T		F		H	S	I	D	N	A	L	T	U	O	
	R	T			O				N					
		O				O			A					
			P				T			H				
			S											

GREAT MOMENT
Puzzle # 70

S	P	I	R	I	T	E			G	X	J			
C	U	T	T	I	N	G	L			N	U	U		
T	S	A	L	L				Y			I	R	E	
	M	U	C	H	A	R	G	E	A	B	L	Y	C	Y
K	A	I	R	O	S	T			S			R		
E	X	T	E	M	P	O	R	I	Z	E	E		L	C
N	A	D	I	R				O	T		B	U	P	
L	E	G	I	O	N	A	R	Y	M	S			X	I
M	U	L	T	I	T	U	D	E		M	O		U	G
D	E	Y	O	J	R	E	V	O			I	P	R	G
T	E	C	I	O	J	E	R	W	O	R	H	T	I	E
N	S	U	O	U	T	P	M	U	S			O	R	
	I	T	O	U	C	H	D	O	W	N		U	Y	
	U	O	R	U	O	L	R	U	O	T		S		
		P												

HERO
Puzzle # 71

A	L	D	I	N	G	T	O	N	R	K	T	A	L	K
	E	S	I	G	M	U	N	D	O	A				
	E	Z	I	R	E	L	D	W	O	B	L	E		
		N	C	Y	C	L	E			Y	R			
	C	A	N	T	A	G	O	N	I	S	T		A	B
	H			D	T	N	A	I	L	A	V	T		
A	L	N	A	S	C	H	A	R	I	S	M			H
D	D	H		I	C	H	A	P	P	I	O	N		E
E	A	U	E		R	F	A	B	U	L	O	U	S	R
O	Z	I	C	R	C	I	T	S	I	O	R	E	H	O
	R	I	M	A	O	S	S	A	L	G	L	W	O	I
	E	O	O	T	I	P	O	L	T	R	O	O	N	
		H	R	N		C	E	U	T	R	I	V	E	
		S	E	W	I	N	D	M	I	L	L			
		H												

MAGIC
Puzzle # 72

I	R	A	V	D	N	A	T	B	M	M	Z	E	M	I
C	I	T	E	M	R	E	H	E	J	U	G	G	L	E
		P			O	W		T	I					W
	I	S			T	I	O	I		L				I
	X		U		H	T		W			E	S		
T	S	I	C	R	O	X	E	C		W				H
	L	E			I		H	S	H	R	O	O	M	
N	O	I	T	A	N	I	C	S	A	F		P		
		G		R	A	I	N	S	T	O	N	E		
		N	U	A	H	C	E	R	P	E	L			
N	E	P	E	N	T	H	E	S		S				
W	A	C	K	Y		U			U					
			R						A					
E	R	U	J	N	O	C	E	R		N				
P	R	E	S	T	I	G	I	O	U	S		I		

CLASSROOM
Puzzle # 73

```
C A R H Y   E   A   P     L M
  I   O   A U C N   A     E I
  S M M O   T N A   P     A C
  L   E   D   S R N E     R R
  E   R D   N   C U R     N O
K     O   A   I H   L U   I C
  R   O     C   I   E Y F N O
    O M       A C   S     G S
K R O W E S R U O C S       M
      D V I N F E C T E D   I
      L L E V I T A T E C
    M I M E O G R A P H
P R A X I S   I V T U M U L T
R A M B L I N G F E
  N E T R A G R E D N I K
```

BICYCLE
Puzzle # 74

```
S L Y Z A L C H B E M O P E D
E P E     H E I F G   H
F L I E   A A C R P N E
R G T N H   I D Y A E S A T
E I E T N W N E C M D I D H
E C N A E I A R L E O N S I C
W P I F R F N   I S M G E E U
H   M L L S T G A E O L T V N
E     U L A H R N T T E   E S
L       P A T I E   O T   R A
L       T A F A R R   Y D
E N E D D I R E B T D A   D
R W I P E O U T M L   C   L
C I T S I M I T P O E K   E
C I T A M U E N P
```

MONEY
Puzzle # 75

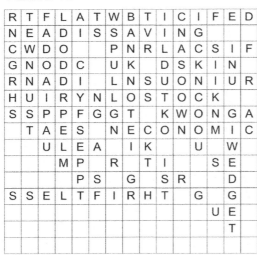

```
R T F L A T W B T I C I F E D
N E A D I S S A V I N G
C W D O     P N R L A C S I F
G N O D C   U K   D S K I N
R N A D I   L N S U O N I U R
H U I R Y N L O S T O C K
S S P P F G G T   K W O N G A
  T A E S   N E C O N O M I C
  U L E A   I K     U   W
  M P   R   T I     S E
    P S   G   S R     D
S S E L T F I R H T   G   G
                  U E
                  T
```

OFFICE
Puzzle # 76

```
A S P I R A N T K L L A C C N
C U B E       E N     H I O
S S I M S I D   R E A   I C C
E T A R O T C E L E L B E E T
E V I T U C E X E   V   F R U
E L B I G I L E N I   O T O R
L E G A T E S H I P     A N N
Y L E N N O S R E P     I A
O P E R A T O R S H I P N G
    U P R E P O S I T U R E
    Y C N E G E R       Y
      C P I H S A W H S E P
S T R I P O S I T T I N G
E T A R I V M U T X E S
Y H T A P M Y S
```

WRESTLING
Puzzle # 77

```
A B A C K F A L L B T S A C D
D E A R O M R R L   A     R E
V G L C O R I O O A   N   E R
E Y M B K D N L P S F   G E E
R M   I A H A E E S     M G
S N   D Y E H R R   I     U
A A   D O E C   P   C   L
R S O M U S L J L U     S A
Y T       E N E L S O N T
R I N G S I D E W E       E
  C L A C I R T S E L A P
R I N G S I D E R   I
E L T S E R W R E V O G
S R O S S I C S     H
D L O H E L G N A R T S   T
```

MAPS
Puzzle # 78

```
F A T C C O L L A T I O N E S
T I R N A H R K M       A C
  H L D I R A O I A     S A
  G O Y R T R T O P     T L
    I F H P O T A S P     E
    R A R E G O U K I
    Y X E U R M Q   N
O R O G R A P H E L A E E   G
E I B E E R F O   T B P T
Y A L R E V O   C   T   H E
L I T H O G R A P H Y E   Y R
N O I T A G I V A N   Z
R O T A G I V A N     A
P A N T E L E G R A P H   G
R E H S I L B U P
```

TREE
Puzzle # 79

```
H E A D U O J A C A B
  N T I U R F D A E R B
C O U M A O G K N I G   L
L O U R O   M A R G O S A M
B U D D I N G L M A S T I C Y
H   E   N E G A G N E E R G
M A L E N T I S C U S
O O Z A S A   K   C
R U E B I L   S   I
I   T L U N P     B
N   A G S I F A K A A
G   N N R     S
A     U I
D     M N
D O O W E L P R U P   G
```

BUNGEE JUMPING
Puzzle # 80

```
N L L E W E L L Y N A     B
A L H C J L   T   I E   R
  I A E N U D   N   H L E
  R C P U M R   A   P F A
M O U S E   T O P U   T L K
E S U O L V   A B S H   L M A
  P   O   T   U   A
  A   N   H   I C S
C I T I G R A D A E L   T H K
T N E I L A S   H   O I I
        C       N L T
C I T A M G E L H P     I T
E C N A S S I U P U     D I
  N O I T C I R T S E R S
P A R A T R O O P E R E   H
```

FISH
Puzzle # 81

C	L	H	F	I	S	H	E	R	F	O	L	K		
R	A	L	S	S	E	L	H	S	I	F	D	A	E	H
	E	T	U	I		D			S	R	L	I	O	S
		D	F	D	F		I		H		O			S
			D	I		N		O	Y			O		
				S	D	I	R	Y	M	R	O	M		
R	E	T	S	Y	O	H		F		H	S			S
H	O	L	O	C	E	N	T	R	I	D	T			
H	S	I	F	P	L	E	K				O	H		W
R	E	I	D	N	O	P	E	S	R	U	N		C	H
	A	I	F		W	W	H	A	N	G	E	R		I
	E	K	G		A					F			T	
		H	O	N		P				I			I	
		S	M	I		S				S			N	
			S	K					H			G		

WILD
Puzzle # 82

K	S	E	N	N	A	E	T	A	M	I	L	C	C	A
O	L	B	U	G	L	E	C	H	A	R	L	O	C	K
I	G	A	E	T	A	R	E	P	S	E	D	H		W
R	S	N	T	H	E	R	D	N			Z	O		A
O	H	S	O	S	T			L	I		I	W		R
P	M	O	E	D	E	O	E		I	U	G	L		T
O		S	G	L	T	R	M	L		W	G			H
T			I	S	N	N	G	B	I		E	N		O
A				D	T	R	E	A	O	T	T	R	E	G
M				A	E	E	L		Y	A			P	
U	H	C	N	U	R	N	E	V	U		I	L		
S	V	E	N	E	R	Y	E	R	O	B			O	
M	O	U	F	L	O	N		A		G	R		V	
R	A	K	E	H	E	L	L	Y	M		U			
E	C	N	E	M	E	H	E	V				T		

COUNTRY
Puzzle # 83

D	O	M	I	N	I	C	A	Z	D	A	O	R	B	A
S	A	R	U	D	N	O	H	M	Y	C	H	A	S	E
I	T	A	B	I	R	I	K	S	A	G				C
A	I	B	I	M	A	N	E	T	E	N	R			O
P	A	R	T	H	I	A	H	V	E	T	O	Y		R
D	E	B	U	J	U	J	K	A	A	I	T	R	K	R
E	E					I		B	L	V	L		I	
F		S				N		O	C	O	E	D		
E			O			T			T	N	S	O		
N				L		R				U	E	R		
S					A		Y				A			
E		R	E	R	U	T	C	A	F	U	N	A	M	
R	E	U	N	I	F	Y	I							
			Y	C	A	R	C	O	T	P	E	L	K	
L	A	N	D	S	C	A	P	E	N					

RUGBY
Puzzle # 84

A	S	D	R	A	W	D	E	L	Y	M	M	U	D	U
M		P	K	M				O	Y	P				N
A			E	I	E		R	M	P	N	A			D
B				E	C	N	F	U	S	I	A	C		E
O				B	J	K	I	O	G	P	T	G	K	R
K	M	C	B	R	I	D	E	N	O	B	A	C	H	W
O			W	I	N	G	E	R	G	T	Y	C	H	O
B	N	E	E	T	F	I	F			A	B		E	O
O			T	E	C	N	A	I	L	L	A	D	D	
K	C	A	B	L	L	U	F	E	U	G	A	E	L	
O		P	R	E	M	I	E	R	S	H	I	P		L
R	E	C	U	P	E	R	A	T	E					
E	T	I	R	E	G	G	U	R	E	P	P	I	K	S

FOOD ADDITION
Puzzle # 85

N	L	C	H	D	I	E	T	A	R	Y		R	G	N
E	O	A	I	T	D	I	N	N	E	R		A	R	A
R	T	I	I	B	R	G	N	A	K	A	M	B	O	R
P	E	A	T	R	A	A	N			S	B	U	C	
R	I	D	R	C	A	T	E	I		I	I	N	O	
R	E	G	N	O	I	B	I	D	L		L	T	D	T
	O	C	S	U	C	D	I	O		N	K	O	N	I
	X	U	H	W	O	L	D	C	N		E	H	U	S
		O	N	A	I	L	U	A		N	E	T	M	
		B	D	U	L	F	D				R			
		E		F	L		E					G		
T	O	U	C	H	K		F	S	O	P	P	I	N	G
S	L	I	P	S	L	O	P	E						
S	W	A	L	L	O	W	M							
					S									

CAR
Puzzle # 86

R	P	A	R	K	T	B				B	F	L	I	P
C	A	Y	H	O	R	E	U	C	A	R	L	E	S	S
O	A	C	M	C	T	A	N	R		A		H	P	R
N		R	Y	O	T	A	C	N	L	K		U	A	E
V			A	D	N	A	R	E	O	E		B	I	S
E			V	N	O	H	E	S	B		C	N	P	
R	D	I	K	S	A	I	C		N	R		A	T	R
T			J	U	N	K	E	R	E	O	P	W	A	
I	D	L	O	H	D	N	A	H		G	H	O	Y	
B	R	E	N	R	A	E	L	G	N	I	W	S	R	
L	R	E	D	L	O	H	Y	C	I	L	O	P	K	
E	S	C	U	T	T	L	E	T	W	O	C	K	E	D
T	A	I	L	G	A	T	E							

COOKING
Puzzle # 87

N	O	A	L	A	C	A	B	R	S	A	W	E	T	S
D	A						R	E	T		S			
N	A	S	E	T	O	Z	A	P	E	K	I	L		
I	I	R	E						W	O	R	A		
M	H	T	I	M	K	C	A	H	S	K	O	O	C	S
D	A	S	A	O	R		T					C		
P	E	R	U	R	L	A	F	A	T	I	G	U	E	S
S	R	T	M	B	G	E	P	M						A
C	N	E	T	A	O	E	R	A	W	N	E	V	O	F
R	A	E	C	O	L	U		L						F
O		K	D	O	P	A	S	E						R
D		K	D	O		D	T							O
		I	O	K	T	E	A	S	P	O	O	N		
			T	S			K							
T	A	M	A	R	I	N	D							

FITNESS MOTIVATION
Puzzle # 88

M	S	I	K	C	O	R	D	E	N	N	A	C		H
L	Y	C	D	R	O	C	N	O	C	E	G	D	E	A
Y	A	C	I	E	E	M	E			R	O	P	P	
S	T	I	N	B	L	L	I	P		E	P	R	P	
R	U	I	N	E	O	P	T	L	I		P	P	E	I
E	S	P	L	E	I	R	M	T	E	R	L	O	P	N
G	C	T	M	I	G	N	E	A	E	R	Y	R	A	E
I	R	I	C	A	B	N	E	A	X	F	P	T	R	S
M	U	E		E	C	A	O	V		E		U	A	S
E	P	N			L	O	S	C	N		N	T		
N	L	T			E	P	I		O		I	I		
	E	A				S	P	D		C	T	O		
P	R	O	T	O	L	I	T	H	I	C		Y	N	
S	E	N	I	O	R	I	T	I	S	H				
N	O	I	T	A	M	A	L	C	E	R				

251

SAVING MONEY
Puzzle # 89

S	T	L	E	E		D	F		D	L	W	E	I
I	K	N	U	L	T		O	R		E		M	S
M	N	N	E	F	B	O	W	A		P		E	U
K	O	C	A	G	I	A	N	N		O		R	P
	C	N	O	H	R	T	S	C		S		I	E
		A	G	M		A	N	N		I	T	T	R
		S	O	E			U	E	T		O	H	
D	E	T	B	E	D	N	I		O	P		R	E
M	I	L	L	I	M	E		E		B	M	I	R	A
E	M	B	A	R	R	A	S	S	E	D		O	O
			R	L	L	E	H	S	W		U	C	
	S	O	L	I	D	A	R	E		G	S		
N	I	Y	I	T		A				N			
	S	T	I	P	E	N	D	I	A	R	Y		
S	T	O	P	P	E	D							

HALLOWEEN
Puzzle # 90

N	Y	A	L	L	O	Y	L	E	V	I	T	R	U	F
K	I	T	E	N	I	T	S	E	D	N	A	L	C	R
C	C	A	I	M	Y	H	A	L	L	O	W			E
G	U	A	H	D	U	L	H	A	U	N	T	E	D	A
M	N	R	R	M	R	T	H	R	O	T	C	E	H	K
A		I	M	B	A	U	S	T	E				Y
S			M	U	M	S	S	O	A	R			
K			O	D	R		B	C	E	T			
			C	G	A		A		D	U			
H	O	O	P	L	A	H	E	B	N	O	I	T	O	N
P	O	T	I	O	N		T	O	S				
N	O	T	E	L	E	K	S	R	N	T			
G	L	E	E	F	U	L	L	Y	O		A		
Y	L	B	I	D	E	R	C	N	I	F		S	
S	A	F	E	G	U	A	R	D				H	

HOTEL
Puzzle # 91

H	O	S	T	A	U	B	E	R	G	E	K			
C	D	F	A	C	I	A	L	G	A	T	E	N		
H	A	O	M	H	A	R	B	O	R			A		
E	P	R	O	O	R	E	I	L	E	T	O	H		B
E	T	O	A	R	O	N	A	M	E	S	U	O	H	
R	N	A	T	V	M	R	D	R	O	L	D	N	A	L
L	I		M	M	A	A	L	N	O	I	S	N	E	P
E	G		N	A	N	N	L	R	E	V	A	M	P	
S	H			I	N	S		I	T					
S	T			E	C	N	A	I	R	U	X	U	L	
	R	O	T	E	I	R	P	O	R	P	G	O		
E	S	U	O	H	D	A	O	R		Y			T	
R	E	C	E	P	T	I	O	N	I	S	T			
M	U	I	R	A	L	O	S							
T	E	M	P	E	R	A	N	C	E					

MOVIE
Puzzle # 92

T	E	B	U	F	F	C	R	O	S	S	C	U	T	M
E	R	P	D	T	T	E	H	T			P	S	A
	Z	I	O	I	N	I	N	E	A		R	W	R
		I	P	C	A	E	P	I	E	U		O	A	Q
			T	L	S	L	M	A	P	S	T	D	S	U
				A	E	O		U	E	O	Y	U	H	E
T	N	U	T	S	M	X	I		C	L		C	B	E
O	E	D	I	V		E		B		O	F	T	U
E	N	V	I	S	I	O	N			D	I	C
	P	O	P	U	L	A	T	I	O	N		O	K
S	T	U	N	T	M	A	N		C		N	L
D	E	T	C	A	R	T	O	R	P			E
R	E	S	U	R	R	E	C	T	I	O	N
D	R	A	O	B	Y	R	O	T	S
R	E	L	L	I	R	H	T	E	N	I	P	L	U	V

252

DATA ENTRY
Puzzle # 93

```
A N Y B A N D W I D T H . . I
B N O T M A E R T S T I B . N
C U E I I S E C E D O C E D T
T A R C T R N T R P L E A . E
P O P S D A O E A E . . . . R
R Y O I T O R H I M O . . . R
O . A F T Y T T N I C . . . O
P . W . A N A I U I T . . . G
E . . E . L O L B A F S . . A
R . . . T . . M . R . E E T
T B I O G R A P H I C A L D E
Y R E C A L L G . . N
E P O C S O R O H . . A
N O I T P I R C S N I . T
A T A D O R C I M . . . E
```

DIVING
Puzzle # 94

```
C S H C I R A M E N A B L E G
A Y U D H M K X U B P M U J A
Y E B G R Y U W O R E . W I
. G R I R Y D R A R D R . I N
A . O O S E S R R H T . G M E
. B . L E T M U O E T I . P R
. . U P O M E D I P . H N . P
. . C L Y B R A T L . G . L
. . S A H O . E . A . I U
P E N G U I N T L . H . N N
N E O P R E N E H I . D . E G
P O C H A R D . S C S . E E
L I A T F F I T S M I M . R O
. . . . . . . . A . . . N
T O M B S T O N I N G N
```

HOLIDAY
Puzzle # 95

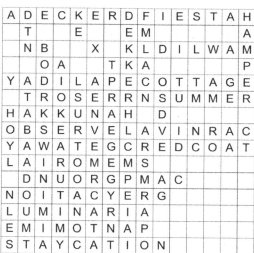

```
A D E C K E R D F I E S T A H
. T . . E . E M . . . . . . A
. N B . . X . K L D I L W A M
. . O A . . T K A . . . . . P
Y A D I L A P E C O T T A G E
. T R O S E R R N S U M M E R
H A K K U N A H . D
O B S E R V E L A V I N R A C
Y A W A T E G C R E D C O A T
L A I R O M E M S
. D N U O R G P M A C
N O I T A C Y E R G
L U M I N A R I A
E M I M O T N A P
S T A Y C A T I O N
```

GREEN
Puzzle # 96

```
E E E X E D E S M I D C . H
R T L S Y C E P A R G H . O
E E I P E L A R S W E A T N
. K T L P R A D E V E R T E
. A A O A B C . T . T . Y
. . W E N . A . A R . D
E G A L L A I D L . E . E
S H A L L O T T G A . U G W
L L A W K C I H C N C S . I
F A T S H E D E R A I E . F
Y R R E B E S O O G P W
E T I R U G I L . E P
M O S S T O N E . E A
E T I N O R T N O N . W L
E T I V O R A V U . . . S
```

253

WRITING POETRY
Puzzle # 97

```
D P R     B     A B S N I P E
A O I O   E     L R M
A S N E H N     L A U O
V M P N R T E Z I C I O R E H
  L I H E I U   T H     L N
    U C O I A A E Y L I M O H
    P E D S N R L E       D
S C R E E D E H A O Y T
Y C N E U L F L T G   T I
D N A H N I O J E Y     S R
G L O S S O G R A P H Y   W
H A P L O G R A P H Y
M Y T H I C A L S E R M O N
R E T E M A T N E P
T R U M P E R Y
```

SELF DEFENSE
Puzzle # 98

```
D A P O L O G E T I C S
A E Y H C R A T U A B I K E
S U T B E T A K E D L A V E
N U T C T N E D I F N O C
D O O O E C O N S C I E N C E
I E I G C F     N       F
G T L T A R F E M O S E N O L
N T A T A H A A W   S     U
I   I L T C P C   A   R   N
F   N E A I O Y   L   E S
I     U   B D T   L   P U
E       M E U       R
D R E T T O P S E D A   E
M O N A S T I C L A I V I R T
E C N E G I L G E N
```

CHAT
Puzzle # 99

```
G B U B R E E Z E B C T
C N A N W E H C   L   H A
O C I N C O N K   O   A H
L O E K T B     V T   D C
L L F P O E     I   R
O L L   T O R G A W N I H C
G O O   H B I R T     L
U Q O   I E N E H H O K F
E U D   A C G T     W
  Y B O N B O H N A   T   A
R E K R U L   U F   A R
P H O N O L O G Y   R   N B
E L O R A M G I R   A   L
T A L K E R Y R E L T T A T E
R E P S I H W         R
```

EBAY SELLING
Puzzle # 100

```
B E A C H C O M B E R I
B O U T I Q U E U   C   L
K C A B H S A C S I   I   E
E B X M L   K   R   N   D
N O I T A T O L F   R O J A M
E L B I S I V N I     P   P
J O B B E R M D S E R A W M
P   M E R C H A N T A B L E E
  A   P I H S R E N T R A P
A I R E U Q L U P K V
  D   T U O L L E S
H T R O W Y N N E P T
    N R E T A I L I N G
    R E E T I F O R P N
R A L L O D O R T E P     G
```

Thank you

We hope you enjoyed the book and kindly ask you to leave us a review

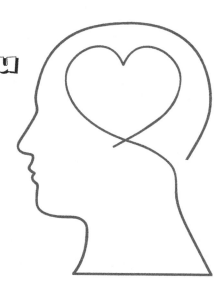

 sudokugamkit@gmail.com